Y0-CAS-931

Realizzazione editoriale a cura di Edimedia SAS, via Orcagna 66, Firenze

www.giunti.it

Via Bolognese 165 - 50139 Firenze - Italia
Via Dante 4 - 20121 Milano - Italia

Ristampa	Anno
6 5 4 3 2 1	2011 2010 2009 2008 2007

Stampato presso Giunti Industrie Grafiche S.p.A. - Stabilimento di Prato

Sabrina Carollo

PARLARE E SCRIVERE

senza errori

Sommario

Introduzione 7

Conoscere le regole

• Un pizzico di grammatica 11

• Il primo passo: l'articolo 13

Articoli e apostrofi 14; Davanti ai nomi, alle sigle e alle parole straniere 15; Il partitivo 16

• Scegliere le parole 17

E il trattino? 18

• A ognuno il suo nome 22

• Più di uno: il plurale 23

Il plurale dei nomi stranieri 29

• Mondo al femminile 30

• Piccole ed essenziali: le preposizioni 32

• Attenzione ai... pronomi 36

• Accenti e apostrofi 37

L'accento 37; L'apostrofo 39

• Segni & Co. di punteggiatura 41

Il punto 41; La virgola 41; Il punto e virgola 43; I due punti 43; Il punto esclamativo 44; Il punto interrogativo 44; I trattini 44; Le virgolette 45

• Trattino e... a capo 46

• Come dare i numeri 48

• Tempi, forme e modi. I verbi 50

Congiuntivi e condizionali 51; Verbi impersonali 53; Concordanze 53

• Le parole straniere 55
• Un po' di latino 59
• Varietà e curiosità: dialettismi 69
• Quando la si dice grossa. I paroloni 73
Naturali 74; Fabbricati 76
• L'importanza dei titoli 79
Ecclesiastici 79; Politici 80; Nobili e militari 80; Universitari 80
• Piccole ma utili abbreviazioni 81
Professioni 82; Religiosi 83; Militari 84; Saluti 84; Intestazioni 85;
Nobili 86; Altre 86

Lezioni di stile
• Organizzare la composizione 89
• Cenni di sintassi 91
Le frasi che compongono un periodo 91; Il periodo 93;
Lunghezza delle frasi 94; Ritmo 95
• Regole di struttura 96
Posizione 96; Interruzioni di sequenza 98; Le ripetizioni 98;
Il gerundio iniziale 100; Anacoluto, chi era costui? 100;
Discorso diretto e indiretto 101
• Fuor di... metafora 102
• Dalla A alla Z con la retorica 105
• Sinonimi e tautologie 113
• Domande retoriche e di cortesia 125

Siamo tutti scrittori
• Mettere in pratica 129
• Come scrivere le lettere 130
Data, intestazione, attacco 131; Saluti 136; Firma 137;
Poscritto e notabene 138; Busta 139

• Gli altri strumenti **142**
Fax **143**; Telegrammi **144**; E-mail **145**; Sms **148**; Chat **149**; Annunci **151**; Lettere commerciali **152**
• Strumenti di presentazione **154**
Curriculum vitae **154**; Biglietti da visita **160**; Carta intestata **162**; Targhette **163**
• Comunicazioni formali **164**
Ringraziamenti **164**; Auguri **165**; Inviti **168**; Partecipazioni **170**; Condoglianze **173**; Scuse **174**; Reclami **175**

Parlare senza errori

• Suoni corretti: la pronuncia **181**
• Dal vocabolario al bestiario **192**
• Alcune frasi fatte **202**
• Vari e diffusi modi di dire **204**
• Ma come parli? Le parole nuove **208**

Autori per professione

• Dal parlato allo scritto **225**
La raccolta delle idee per uno scritto "tecnico" **226**; Il computer e la rivoluzione della scrittura **227**
• Lettere importanti: le maiuscole **230**
• Consigli per un saggio o una tesi **232**
Divisione in capitoli **233**; L'introduzione **234**; Indice generale e analitico **235**; Illustrazioni **237**; Note **237**; Citazioni **240**; Bibliografia **241**
• Presentazioni e relazioni **245**
Organizzazione delle parti **246**; Rimandi **247**; Tabelle **248**
• Come redigere una relazione a slide **249**
Uso della tecnologia **251**

Bibliografia **252**

INTRODUZIONE

Il tempo della scuola fatta di grembiuli neri, quaderni di bella ed errori blu e rossi sembra definitivamente tramontato. Se la perdita delle bacchettate sulle dita da parte dei maestri è una conquista, quella di una certa familiarità con la grammatica, del rigore nell'imparare la "lezione" forse no. È vero, siamo nell'epoca del relativismo assoluto, e niente pare essere più relativo della lingua. Ciononostante, la comunicazione è al centro del nostro tempo. Una contraddizione in termini? In un certo senso sì. Da una recente ricerca, i bambini delle scuole elementari italiane commettono errori di ortografia cinque volte più di frequente rispetto ad alcuni lustri fa. Presso i quotidiani, per recuperare tempo e soprattutto soldi, sono sparite quelle benedette figure dei "correttori" che non avrebbero mai fatto passare in stampa po' con l'accento. Siamo all'imbarbarimento letterario? O si tratta solo di una fase di passaggio, proprio come è avvenuto tra il latino e il volgare? Di qualunque cosa si tratti, è necessario fare delle consi-

derazioni, e segnare alcuni punti fermi. La lingua è un fatto collettivo: serve per farsi capire dagli altri. Pertanto non può essere soggetta alla singola persona, che non può dire o scrivere come le pare, pena l'incomprensibilità. Allo stesso tempo non sono i grammatici che possono imporre le regole e obbligare tutti a rispettarle. La cultura è una conquista che va oltre le imposizioni, proprio come la democrazia.

Se la lingua è in costante evoluzione, un'evoluzione non casuale, ma logica e coerente a se stessa, è bene seguirla, accordarsi ad essa; allo stesso tempo, è necessario regolarla a nostra volta, in modo da ottenere una base comune con tutti.

La televisione, lo sappiamo, contribuisce molto all'unificazione linguistica. Nell'ultimo decennio, la crescente diffusione di internet ha creato un'altra influenza linguistica, quella internazionale e tecnologica. Termini stranieri, per lo più derivati dall'inglese, sono ormai all'ordine del giorno. Anche la velocità sta condizionando le regole di scrittura: quanto più è urgente comunicare, tanto più si semplificano le scritture.

Qualunque siano le esigenze di modo, non bisogna però perdere di vista la necessità primaria di contenuto: farsi capire. Allo stesso momento, con questo manuale vogliamo affermare la necessità di "fermare il tempo" in favore di qualcosa di eterno: il bello. La forma a volte fa la sostanza. Se cambiamento dev'essere, non potremo opporci. Ma la nostra battaglia perché la qualità, in qualche modo venga comunque rispettata, ci permettiamo di condurla. Anche a costo di sembrare dei donchisciotte.

PRIMA PARTE

CONOSCERE LE REGOLE

Un pizzico di GRAMMATICA

Grammatica: citando il dizionario etimologico della lingua italiana Cortelazzo-Zolli «correttezza nell'uso della propria lingua». La parola deriva dal latino, ma è in realtà una trascrizione dal greco *grammatiké*, ovvero "dello scritto", che sottintende *techne*, "arte": l'arte dello scritto, dello scrivere. Esiste una sostanziale differenza tra il concetto di "arte dello scrivere" e quell'insieme di regole barbose per le quali la grammatica è tristemente nota e invisa alla maggior parte delle persone. Una percezione ribaltata: da positiva quale dovrebbe essere a negativa quale effettivamente è. Come del resto molto di ciò che appartiene al nostro tempo, la bellezza della sostanza è trasfigurata nella bruttezza della gabbia in cui la rinchiudiamo per riuscire a maneggiarla.

Così anche la grammatica non è in sé orribile come ci capita di supporre a scuola, un insieme di regole sterili a cui obbedire – la Regola, il Divieto, il Comando che tanto fanno comodo per non pensare ma comunque procedere – quanto piuttosto una semplice definizione di ciò che già si usa, una codificazione della realtà per un più facile utilizzo da parte di tutti.

Se, come abbiamo indicato, la lingua è una convenzione che serve per comunicare, allora è necessario che vengano rispettati gli accordi presi, i "patti" di intesa, altrimenti non ci si capisce più. E per farlo, in fondo, basta tenere presenti i motivi che hanno portato alla creazione di tali accordi, le spiegazioni che si celano dietro a ogni regola e ne fanno uno strumento utile, anziché un obbligo ottuso.

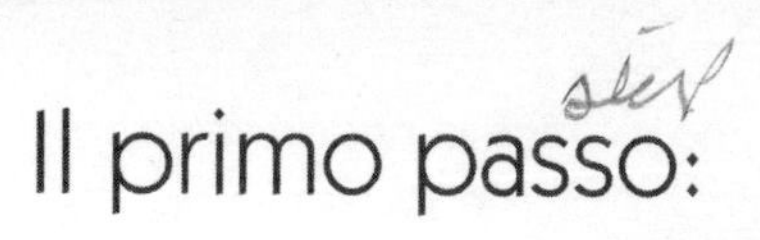

Il primo passo: L'ARTICOLO

Quali siano gli articoli determinativi e indeterminativi lo diamo per scontato: vediamo piuttosto i casi in cui sorgono dubbi nel loro uso.

Il primo riguarda quando usare l'articolo determinativo maschile *il* e quando *lo*. I casi in cui il secondo sostituisce il primo sono sostanzialmente due:

✔ davanti a una vocale;

✔ davanti a una parola che comincia con *s* seguita da consonante ("esse impura"), con *z*, con *x* e con i gruppi *gn*, *pn*, *ps*.

È una questione di eufonia: è un suono decisamente più difficile quello con tre consonanti filate, come risulterebbe la pronuncia se usassimo *il* invece di *lo*, che consente l'inserimento di una vocale a interrompere la sequenza e dare respiro al suono.

Si usa anche con *x*, che è una lettera composta da due suoni consonantici, *cs*; lo stesso motivo per cui si usa anche prima della *z*, anche se più difficile da cogliere. Infatti la zeta è in

realtà il prodotto del suono *ds*, motivo per cui vale come doppia consonante. Dunque si dice lo scolaro, lo zio, lo xilofono, lo pneumatico, lo gnocco, lo psicologo.

Articoliamo

☞ L'articolo determinativo è figlio della specificazione latina *ille* e *illa*, cioè "quello" e "quella", di cui sono rimasti, a seconda dei casi, la prima o la seconda parte: *il* o *lo*/*la*.

☞ La determinazione è sorta durante il passaggio dal latino al volgare, con la perdita delle declinazioni delle parole: per una migliore comprensione si è reso necessario introdurre un discorso più "articolato".

Articoli e apostrofi

Arriviamo a una delle note dolenti più diffuse nello scrivere quotidiano: quando mettere l'apostrofo negli articoli. Quando l'articolo che termina con una vocale (*lo*/*la*) viene seguito da una parola che comincia anche questa con la vocale, quella dell'articolo cade lasciando al suo posto un apostrofo. Il problema generalmente si crea con l'articolo indeterminativo: ricordiamo che al maschile non esiste solo *uno* ma anche *un*, che si usa davanti alle parole che cominciano per vocale e che dunque non ha bisogno di apostrofo, perché la lettera è caduta per troncamento. Diverso è il caso del femminile: l'unica forma esistente *una* si abbrevia per elisione in *un'* davanti alle parole che iniziano per vocale, prendendo sempre l'accento.

Davanti ai nomi, alle sigle e alle parole straniere

❶ L'articolo non va usato davanti ai nomi di persona né ai cognomi. Anche nel caso di personaggi pubblici o femminili, non si deve anteporre l'articolo al cognome. È ammesso solo per i soprannomi (il Che, il Barbarossa) o per i nomi di personaggi storici (il Manzoni, il Bonaparte), anche se secondo alcuni è comunque più elegante non usarlo nemmeno in questi casi.

❷ Per le città che hanno un articolo nel nome (per esempio L'Aquila, La Mecca, Il Cairo), l'articolo va declinato con la preposizione a seconda delle necessità (dall'Aquila, alla Mecca, del Cairo) e scritto minuscolo.

❸ Come si mette invece l'articolo davanti alle sigle? In questo caso specifico si è imposta una sorta di abitudine a scegliere l'articolo regolandosi a seconda del modo di pronunciare la sigla. Se si tratta di una sigla che si legge come se fosse una parola intera, per esempio Fiat, si scriverà *la* Fiat; se invece si legge lettera per lettera, come per esempio Mp3, si scriverà *l'*Mp3, poiché virtualmente la parola comincia per la e di "emme".

❹ Per quanto riguarda le parole straniere la faccenda si complica. Non esiste infatti una regola unica e definita.

✔ davanti alla *h*: ci si regola a seconda della pronuncia nella lingua originale. Se infatti *hall* necessita di un *la*, visto che la *h* in inglese è sonora, diverso è per *hotel* che deriva dal francese e quindi non prevede aspirazione: quindi *l'*hotel. Lo stesso vale per l'*hidalgo* (spagnolo) e l'*humus* (latino);

✔ davanti a *w*: in questo caso l'articolo che si usa è generalmente *il*, indipendentemente dalla lingua d'origine e dalla pronuncia. Dunque il whisky, il west, il Walhalla, il würstel.

Il partitivo

Il plurale dell'articolo indeterminativo non esiste: mutuato dal francese, è diffuso l'impiego delle preposizioni articolate *dei/degli* e *delle* con funzione di articolo. Non si tratta di una forma particolarmente gradevole, ma è ormai affermata e, se non abusata, può assolvere degnamente alla sua funzione. Un esempio di uso improprio? Complimentarsi con qualcuno perché ha *degli* occhi bellissimi o *delle* braccia possenti. Per cogliere il sottile ma effettivo errore nell'utilizzo basta sostituire il partitivo "degli" con l'aggettivo "alcuni", di cui è sostanzialmente sinonimo...

Scegliere LE PAROLE

"Io non parlo così, non penso così". Come giustamente commentava Nanni Moretti in un suo celebre film, "le parole sono importanti". Pare banale ricordarlo, ma tristemente non lo è. Il primo suggerimento è quello di utilizzare sempre le parole che si conoscono, onde evitare brutte figure. Errori e scivoloni sono sempre in agguato: la cosa migliore, in caso di dubbio, è consultare un buon vocabolario.

In particolare suggeriamo una maggiore attenzione nell'uso di *accrescitivi*, *diminutivi* e *dispregiativi*, che spesso variano sostanzialmente di significato se usati a sproposito: basti pensare a banca e banchina, calza e calzone, torre e torrone, spalla e spalletta. Inutile sorridere: ci sono parole meno note su cui è più facile inciampare. Come *città*, che diminuisce in cittadina e non cittadella (generalmente la parte fortificata di un abitato), o *ramo*, che diventa ramoscello e non ramino (gioco a carte), o ancora il *vento*, che può tutt'al più diventare un venticello, ma non un ventino (usato in senso monetario); e così via.

Seconda attenzione, non fatevi fuorviare dalle parole dal *doppio significato*: possono insorgere fraintendimenti sgra-

devoli o imbarazzanti. Dunque riflettere un attimo prima di utilizzare vocaboli come ratto, maschio, granata, eroina e altri simili.

Altri rischi insorgono con i *composti* e i *derivati*, ovvero parole che, come dice il nome, sono il risultato di un accoppiamento di due termini di significato differente o di una parziale modificazione di un sostantivo originario. Ricordiamo dunque che *aereo* nei suoi composti diventa "aero" (aeronautica, aeroporto) e che i composti di *sopra*, *sovra* e *intra* seguiti da una parola che inizia per consonante, raddoppiano la consonante d'unione (soprattutto, sopravvissuto; ma intravedere, sopraelevare).

I derivati di *alcool* hanno una sola *o* (alcolico, alcolismo); i derivati di *san* mutano generalmente la *n* in *m* (sampietrino), esattamente al contrario di *tram* (tranviere).

E il trattino?

Proseguendo con i nomi composti, è necessario fare un uso parsimonioso e non casuale del trattino che separa due parole: generalmente non si usa, tranne in caso di avvicinamento di due vocali uguali. Dunque vicedirettore, sottosegretario, maxiretata, ma maxi-intesa e ultra-aromatizzato. Naturalmente niente spazi tra le lettere e il trattino.

Alcuni monosillabi di derivazione latina – generalmente *ex* e *pro* – si scrivono senza trattino d'unione ma semplicemente precedono la parola: *pro loco*, *ex libris*. Ma at-

tenzione: se si tratta di parole straniere bisogna seguire le regole della lingua madre e scriverle come in originale: pertanto *check-in, stand-by, hi-fi*. Come sempre, è necessario pensarci un pochino.

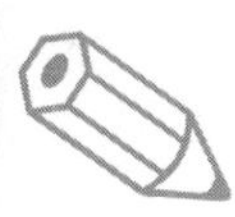

Parole, parole, parole

☞ Di seguito, ecco alcune delle parole che vengono scritte sbagliate con maggiore frequenza...

Corretto	Sbagliato
abbrutimento	abruttimento
accelerare	accellerare
aeroporto	areoporto – aereoporto
affiliare	affigliare
altroché	altrocché
aneddotico	aneddottico o anedottico
appropriato	appropiato
approvvigionare	approwiggionare o approvigionare
avallo	avvallo
bazzecola	bazzeccola
beneficenza	beneficienza
biliardo	bigliardo
binocolo	binoccolo
birichino	biricchino

Corretto	Sbagliato
buon amico	buon'amico
Caltanissetta	Caltanisetta
cannocchiale	canocchiale
chiacchiera	chiacchera
colluttazione	collutazione
coscienza	coscenza
d'accordo	daccordo
dopodomani	dopo domani
eccezionale	eccezzionale
efferato	efferrato
efficienza	efficenza
essiccare	essicare
esterrefatto	esterefatto
estorsivo	estortivo
ingegnere	ingegniere
lassù	lassu
machiavellico	macchiavellico
meteorologia	metereologia
Mississippi	Missisipi
nullaosta	nulla osta
ossequente	ossequiente
perché	perchè

Corretto	Sbagliato
pressoché	pressocché
proprio	propio
redigere	redarre
scienza	scenza
scorrazzare	scorazzare
sinora, tuttora	sin'ora, tutt'ora
le specie	le speci
sufficienza	sufficenza
tutt'e due	tuttedue
un murale, un silo, un vigilante	un murales, un silos, un vigilantes

☞ ... e quelle corrette ma ormai quasi cadute in disuso, alle quali sono preferite altre forme:

Corretto	Più diffuso
all'erta	allerta
caso mai	casomai
ciò nonostante, ciò non ostante	ciononostante
cosidetto, cosifatto	cosiddetto, cosiffatto
the	tè
tutt'al più	tuttalpiù
zabaglione	zabaione

A ognuno il suo NOME

Il nome va sempre prima del cognome. Il contrario è ammesso solo negli elenchi del telefono e dei seggi elettorali. Se questa regola fosse sempre seguita, si risolverebbe anche il problema creato dai casi dubbi, come Franco Simone o Rosa Daniele.

Talvolta il cognome è preceduto da una preposizione: generalmente anch'essa si scrive maiuscola, tranne nei cognomi di personaggi storici che denotano il luogo d'origine o nei casati nobiliari (Leonardo da Vinci, Charles de Gaulle). In caso di dubbio, comunque, meglio usare la maiuscola.

Quando si scrivono nomi stranieri di personaggi pubblici, andrebbe utilizzata la grafia più in uso: dunque Gorbaciov, non Gorbachev. Se si tratta di nomi geografici, meglio usare l'italianizzazione più comune. Dunque Stati Uniti non United States, Tokio e non Tokyo. Rimanendo in ambito geografico, Emilia-Romagna, Friuli-Venezia Giulia e Trentino-Alto Adige vanno uniti con un trattino. Talora infatti i due o più nomi rappresentano realtà diverse: meglio allora utilizzare il nome per esteso, per evitare di urtare la sensibilità e comunque per correttezza e completezza.

Più di uno:

IL PLURALE

L'italiano è famoso per i suoi plurali irregolari che fanno ammattire non solo gli stranieri ma anche i madrelingua. La perdita del genere neutro e delle declinazioni di derivazione latina ha infatti creato diversi "mostri", parole che non concordano la finale con l'articolo, con il numero o con il genere. E non solo questo.

❶ Le parole che *non cambiano* al plurale:

✔ i nomi abbreviati, come auto, radio, cinema;

✔ alcuni vocaboli che terminano in *-ie*, come serie, carie, specie, barbarie;

✔ diverse parole che terminano in *-i*, come crisi, oasi;

✔ parole accentate: come supplì, maestà, libertà, età.

❷ Poi ci sono le parole che di plurali ne hanno apparentemente *due*, il cui significato in realtà cambia a seconda della vocale con cui terminano e quindi del loro genere (maschile o femminile), come per esempio:

braccio ➡ le braccia (i bracci sono di mare o di una croce);
gesto ➡ i gesti (le gesta sono imprese);
membro ➡ i membri (le membra appartengono al corpo);
muro ➡ i muri (le mura sono fortificazioni);
budello ➡ le budella (i budelli sono vicoli stretti e bui).

❸ Ma il bello arriva con i vocaboli che terminano in *-cia* e *-gia*. Quanti possono negare incertezze in queste occasioni? Forse pochi, visto che la formazione del plurale di simili parole è piuttosto controversa. In breve, si scrive provincie o province? Camicie o camice? Ciliegie o ciliege? La risposta, complessa, sta nell'etimologia e nella glottologia: se le parole hanno la *i* al singolare solo per ottenere un suono dolce e questa lettera non fa parte della radice della parola, allora non la mantengono al plurale.

Ma la regola più pratica e semplice da ricordare, non essendo tutti filologi, è la seguente:

✔ se le desinenze in oggetto sono precedute da consonante, formano il plurale in *ce* e *ge* (per esempio mance, guance, gocce);

✔ se invece sono precedute da vocale, mantengono la *i* (valigie, camicie, grattugie).

Detto questo, i plurali di provincia e ciliegia sono ormai accettati in entrambi i modi: provincie, più antico (è scritto in questo modo sulla Costituzione), ma anche province, ciliegie e ciliege.

❹ Il plurale delle parole che terminano in *-co* è un altro interessante caso. La risposta, in linea di massima, starebbe nell'accento: il plurale è in *-chi* se i vocaboli sono piani, ovvero con accento sulla penultima sillaba; in *-ci* se sono sdruccioli, ovvero con l'accento sulla terzultima sillaba. Ma naturalmente le eccezioni sono numerose (solo per citare alcuni esempi: amico, greco, porco, così come valico e strascico).

❺ Eccoci poi alla difficoltà delle parole che terminano in *-logo* e *-fago*. Qual è il loro plurale? Anche in questo caso un esperto linguista non avrebbe dubbi: le parole di origine greca mantengono i suoni duri anche al plurale. Fortunatamente una piccola regola pratica può essere un aiuto, anche se di massima:

✔ i nomi che si riferiscono a persone hanno il plurale in *-gi* (psicologi, astrologi, archeologi);

✔ i nomi di cose in *-ghi* (sarcofaghi, dialoghi, cataloghi, sacrileghi). Fa eccezione il termine esofago, che fa esofagi e non esofaghi.

❻ Veniamo ora alle parole che terminano in *-io*. In passato si usava raddoppiare la *i* (palio/palii, arbitrio/arbitrii), ma è ormai accettato l'uso della singola *i* anche al plurale, sempre che non ci siano rischi di confusione con termini simili. In questo caso si può scegliere di indicare dove cade l'accento. Dunque il "principio" può diventare "principi" al plurale, a meno che non ci siano teste coronate in zona, in tal caso si può optare per "princìpi". E comunque "notaio" ed "esempio" non raddoppiano mai.

In compenso la doppia *i* è obbligatoria al plurale quando è accentata: per esempio zii, borbottii, mormorii.

Questione divina

☞ Perché al singolare "dio" corrisponde un plurale molto differente, ovvero "dei"? Pare che la risposta stia nel modo in cui il concetto di divinità è stato tramandato nei secoli. Con la cristianizzazione, nel parlato infatti non si è più utilizzato il termine al plurale, che si è invece conservato nello scritto nella derivazione latina diretta (*deos* diventa *dei* appunto). Al singolare, invece, il vocabolo ha subito le variazioni fonetiche del parlato: e così abbiamo *dio* da *deus*, per lo stesso principio per cui *mio* è stato ottenuto da *meus*.

❼ Grande confusione anche per quei vocaboli definiti "difettivi", poiché esistono, a differenza di quanto qualcuno crede, solo al plurale o al singolare: tali sono, per esempio, nozze, dintorni, viveri, ferie, caffè, latte, sangue. Esistono poi diverse parole che indicano oggetti la cui "morfologia", si direbbe, obbliga all'uso del solo plurale: per fare qualche esempio occhiali, pantaloni, forbici (peraltro preceduti di solito da "un paio di").

❽ Veniamo ora ai nomi composti, per formare il plurale dei quali la riflessione logica diventa imprescindibile, nonostante la miriade di eccezioni date dall'uso. Dunque il plurale delle parole composte con *capo*, per esempio, si farà in base alla natura di ciò che segue la desinenza "capo":

✔ se si intende una persona che è a capo di cose inanimate (stazione) o di nomi collettivi (banda), al maschile si modifica al plurale *capi* lasciando invariata la seconda par-

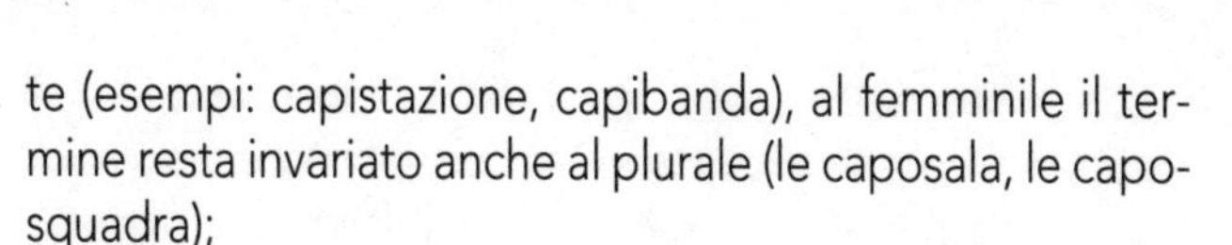

te (esempi: capistazione, capibanda), al femminile il termine resta invariato anche al plurale (le caposala, le caposquadra);

✔ se si intende qualcuno che è a capo di persone, si usa volgere al plurale la seconda parte del termine sia al maschile (capocomici, capocuochi, capomastri), sia al femminile (caporedattrici, capocroniste, capocuoche);

✔ se sta a indicare l'inizio di un qualche evento o la sua eccezionalità va lasciato al singolare, modificando la seconda parola (capodanni, capolavori);

❾ Esistono poi parole composte che hanno acquisito valore proprio e di cui si è parzialmente perso il significato autonomo delle singole parti. Tali parole vanno declinate al plurale come fossero un tutt'uno: tipici esempi sono *caporione*, il cui plurale è caporioni (visto che il vocabolo ha assunto un significato traslato dall'originale "a capo di un rione") e pomodoro, il cui plurale pomodori è da preferire a pomidori o pomidoro.

⑩ Aggettivo più sostantivo, aggettivo più aggettivo, sostantivo più sostantivo, verbo più sostantivo e preposizioni o avverbi più sostantivo fanno il plurale come una parola unica. Esempio: francobolli, sordomuti, pescecani, passatempi, sottufficiali, grattacapi, parafanghi.

Sostantivo più aggettivo (ciò che segue, e non precede il nome come nel primo caso) declina al plurale entrambe le parole: terrecotte, casseforti.

Verbo più verbo rimane invariato: per esempio saliscendi, lasciapassare.

Detto questo, le eccezioni sono innumerevoli:

✔ rimangono invariati: ficcanaso, gambalunga, purosangue, pellerossa; i composti di *para* al femminile: parabrezza, parapioggia; i composti di verbo più sostantivo al femminile (aspirapolvere), tranne i composti di *mani* (asciugamani, baciamani);

✔ se i sostantivi che compongono il vocabolo sono di genere diverso tra loro o rispetto al vocabolo stesso, varia al plurale la prima parte;

✔ palcoscenico (sostantivo più aggettivo) diventa palcoscenici;

✔ mezzanotte (aggettivo più sostantivo) fa mezzenotti.

Nomi irregolari

☞ I nomi di colori derivati da fiori o frutta (rosa, arancio, viola, ma anche il blu) rimangono invariati al plurale.
Il carcere, maschile al singolare, al plurale è femminile: le carceri.

Il plurale dei nomi stranieri

Fondamentalmente bisognerebbe usare il meno possibile le parole delle altre lingue. Certe sgradevoli tendenze all'abuso di vocaboli stranieri hanno ormai tristemente il sapore di yuppismo anni Ottanta o nerdismo informatico anni Novanta, sintomo piuttosto di un'incapacità cronica di cogliere le ricchissime sfumature dell'offerta linguistica italiana che di una sicura padronanza del mondo. Detto questo, alcuni vocaboli sono ormai entrati a pieno titolo nella nostra quotidianità lessicale.

Regola vuole che le parole straniere ormai entrate nell'uso comune non si declinino al plurale. Dunque i film, i fan, i bar, gli sport, i referendum, i cowboy, i manager e anche i curriculum – inutile vantarsi delle incerte reminiscenze liceali con patetici *curricula*.

Attenzione però a *penny*: impossibile dire "ho speso sei *penny*", obbligatorio l'uso di *pence*.

Mondo AL FEMMINILE

Argomento irto di insidie, legate soprattutto al controverso ruolo della donna nella società. Anche senza voler fare le femministe, la nostra lingua ha indubbiamente connotati maschili: tanto più se si parla di ruoli sociali e professioni, sono pochi i termini che hanno un corrispettivo femminile univoco e noto a tutti. Generalmente, quando non si è sicuri del femminile di un termine, si può molto semplicemente lasciarlo al maschile, ma facendolo precedere dall'articolo al femminile.

✔ Presidente non può essere messo al femminile, così come ministro e vigile.

✔ Assolutamente da evitare le costruzioni arzigogolate di vigile-donna, presidente-donna, giudice-donna: oltre che essere pesanti, sono, queste sì realmente sessiste, poiché spostano l'attenzione dalla carica al sesso della persona.

✔ Attenzione ai femminili azzardati in *-essa*: spesso, oltre a suonare male, hanno un tono scherzoso e ironico che può risultare offensivo.

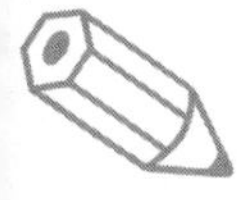

La frutta

☞ Caso interessante, quello del vocabolo frutta, che a seconda del genere e del numero indica concetti differenti. Se infatti le forme maschili "il frutto" e "i frutti" stanno a significare i prodotti delle piante o assumono un significato figurato, come in "il frutto del proprio lavoro", il femminile "la frutta" è un nome collettivo che indica in generale tali prodotti.

☞ Il genere distingue anche le piante dai frutti che producono. Infatti, i nomi dei frutti sono quasi sempre femminili: la banana, la pesca, la noce, la mela, l'arancia. Al maschile invece si intendono gli alberi che di tali frutti sono l'origine: il banano, il pesco, il noce, il melo, l'arancio.

☞ In alcuni casi albero e frutto sono entrambi al maschile: il fico, il limone, il lampone, il mandarino, il pompelmo.

☞ Infine, sono quasi sempre maschili i nomi dei frutti esotici: l'ananas (quindi un ananas, non un'ananas), l'avocado, il kiwi, il mango.

Piccole ed essenziali:
LE PREPOSIZIONI

Le preposizioni sono spesso fondamentali per capire il senso della frase. Possono essere semplici (*di*, *a da*, *in*, *con*, ***su***, *per*, *tra* e *fra*), o articolate quando si uniscono determinativo (*del*, *nella*, *sui* e così via). Purtroppo il loro uso non è semplicissimo, perché a volte i verbi con cui vengono utilizzate traggono in inganno. La nostra lingua deriva dal latino e spesso i verbi contengono già in sé una preposizione: in questi casi aggiungerne un'altra è scorretto. E comunque la confusione e l'errore d'impiego sono dietro l'angolo.

Vediamo i più comuni:

Uso corretto	Uso scorretto
biglietto da visita	di visita
vicino a casa	vicino casa
figlio di Giovanni	a Giovanni
una donna di nome Maria	a nome Maria
per iniziativa	a iniziativa
in nome di	a nome di
cui	a cui
per posta	a mezzo posta
alla presenza del sindaco	in presenza del sindaco
scrivere sulla lavagna	alla lavagna
persistere nel negare	a negare
trattenersi presso qualcuno	da qualcuno
promosso capocantiere	a capocantiere
interessarsi di qualcosa	a qualcosa
da domani	con domani

Meno grave, ma pur sempre scorretto, l'impiego di *in* al posto di *di* per indicare materiali:

commerciante di pellame ➧ e non *in* pellame;
portale *di* bronzo ➧ e non *in* bronzo;
vestito *di* seta ➧ e non *in* seta;
pantaloni *di* pelle ➧ e non *in* pelle.

L'errore risulta evidente se si aggiunge il verbo "fatto" prima della preposizione *di*.

Simili ma non uguali

☞ *Tra* e *fra* sono due preposizioni usate in modo intercambiabile. In realtà, anche se nell'uso quotidiano la differenza si è perduta, esiste una sfumatura che le distingue. *Tra* deriva dal latino *intra*, che significa appunto dentro, in mezzo. *Fra* deriva da *infra*, che sempre nella stessa lingua significa sotto, in basso. Dunque bisognerebbe dire "fra l'erba" e "tra le mura di casa". Alcuni consigliano di usare, forse per analogia all'inglese *between* e *among*, *tra* per indicare una sistemazione tra due posizioni e *fra* invece quando le posizioni sono molte. In realtà l'uso indifferente di entrambe che si è ormai affermato suggerisce una sola distinzione di tipo eufonico: *tra* se la parola che segue comincia per *fra* e viceversa (fra treni..., tra Francia...).

D eufonica

☞ A scuola ce l'hanno detto spesso: quando due vocali s'incontrano, una al termine di una preposizione e l'altra all'inizio della parola che la segue, è meglio aggiungere alla preposizione una *d*, in modo da pronunciare meglio i due suoni. In realtà tale regola, che è spontanea nel parlato, nello scritto appesantisce un po' la lettura. È meglio pertanto usare la *d* eufonica solo quando s'incontrano due vocali uguali, come per esempio "andavo ad Avellino" o "ed emerge che". Nel caso in cui le vocali siano diverse, la *d* eufonica va omessa. L'unica eccezione la fa "ad esempio".

Attenzione ai...
PRONOMI

Altra faccenda dolorosa. Esiste una grande confusione nell'uso dei pronomi. Ormai pare passato a norma l'impiego di *lui* e *lei* al posto di *egli* ed *ella*, che paiono troppo pomposi per essere usati quotidianamente. E passi. Ma l'uso indiscriminato del *che* al posto dei vari "in cui", "su cui", "da cui" e via discorrendo è davvero orribile.

Allo stesso modo, alcuni errori si fanno appunto nell'uso di *cui*, che non richiede né la preposizione *a* né la preposizione *di* ("Marco, cui spetta" e non "Marco a cui spetta").

Anche con il pronome *gli* si sentono numerosi strafalcioni. In realtà non c'è molto da dire: *gli* è un pronome che può sostituire solo *a lui*, e non anche *a lei* o *a loro*.

✔ Dunque sono inequivocabilmente sbagliate le forme:
Quando la vedrò, gli darò tutto.
Quando li vedrò, gli darò tutto.
✔ La forma corretta è la seguente:
Quando la vedrò, le darò tutto.
Quando li vedrò, darò loro tutto.
e ovviamente
Quando lo vedrò, gli darò tutto.

Accenti e APOSTROFI

Piccoli segni assolutamente non intercambiabili. L'uso dell'uno piuttosto che dell'altro è severamente regolato, nonostante le nuove tecnologie che obbligano all'uso dell'apostrofo sempre e comunque, perché le lettere già accentate possono creare problemi di visualizzazione da computer a computer. Soprattutto l'accento non si deve usare al posto dell'apostrofo.

Vediamo ora nel dettaglio come comportarsi.

L'accento

L'accento c'è in ogni parola. A seconda della sillaba su cui cade, la parola si dice:

- ✔ tronca – accento sull'ultima sillaba;
- ✔ piana – accento sulla penultima;
- ✔ sdrucciola – accento sulla terzultima;
- ✔ bisdrucciola – accento sulla quartultima;

La sillaba accentata si chiama tonica, le altre atone.

È obbligatorio scrivere l'accento:

- ✔ nelle parole tronche (per esempio virtù, libertà);
- ✔ nei composti di *tre*, *blu* e *re* (ventitré, gialloblù, viceré);
- ✔ con le preposizioni *lì* e *là* (ma mai con *qui* e *qua*);

✔ con il pronome *sé* (ma non se è accompagnato, come in "se stesso").

All'interno delle parole l'accento generalmente non si scrive, ma è possibile farlo in caso si rischi altrimenti di confonderne il significato. In ogni modo, non è tassativo.

Gli accenti sono tre: ❶ acuto (punta in basso a sinistra), che indica un suono chiuso: *perché*; ❷ grave (punta in basso a destra), che indica un suono aperto: *caffè;* ❸ circonflesso, che non viene praticamente più usato. L'accento va segnato nei seguenti casi:

✔ sull'ultima vocale delle parole tronche formate da più sillabe: sarò, poiché, laggiù;

✔ nei monosillabi composti da un dittongo accentato sull'ultima vocale: più, già, piè;

✔ nei monosillabi che potrebbero confondersi con termini di uguale grafia: dà (verbo dare, ma *da* preposizione), lì (avverbio, ma *li* pronome).

Ricordiamoci inoltre di usare l'accento acuto, non il grave, nei composti di *che*: perché, affinché e non perchè, affinchè).

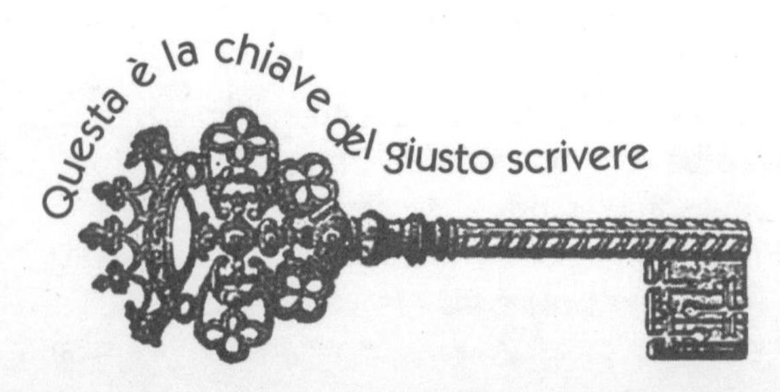

L'apostrofo

La teoria è inequivocabile: quando cade una vocale in finale di parola, perché la parola che segue comincia anch'essa per vocale, al suo posto si traccia un apostrofo. Tale evento si definisce elisione.

Premesso che l'elisione non è obbligatoria, ma eufonica, cioè gradevole da ascoltare, si fa prima a dire in quali casi è da evitare:

✔ con la preposizione *da* (per non confonderla con *di*);

✔ con *gli* davanti a vocale che non sia la *i*;

✔ con la particella pronominale *le* (con significato di "a lei" o "esse").

Il difficile pare sia dunque stabilire quando una parola ha perso la vocale e quando invece non si tratta di troncamento. Generalmente, in quest'ultimo caso la parola ha significato, può "reggere" ed essere compresa anche senza la vocale caduta.

Altro modo per capire, in caso di dubbio, è sostituire alla parola che segue e che inizia per vocale una parola che inizi per consonante.

Di seguito, alcuni dei principali errori di elisione, mentre di fatto si tratta di troncamento:

✔ l'articolo indeterminativo maschile *un* (un piroscafo, un albero);

✔ *tal* e *qual* (dunque qual è, senza apostrofo!);

✔ *grande, buono* e *bello*, che diventano gran, buon e bel quando si trovano davanti a consonante (tranne davanti a *s* impura, *z*, *pn*, *gn* o *ps*).

Sono invece elisioni e non troncamenti da lasciare senza segno, o peggio da accentare:

✔ *be'* da bene (e non bé o bhe o beh);

✔ *po'* da poco (e non naturalmente po, che è il fiume, né pò);

✔ *da'* da dai;

✔ *di'* da dici;

✔ *fa'* da fai;

✔ *mo'* da modo;

✔ *va'* da vai.

Altre elisioni poetiche sono ammesse, appunto, solo in poesia, risultando un po' accademiche nella scrittura di tutti i giorni.

Segni & Co. di
PUNTEGGIATURA

Piccoli segni dal grande significato. La punteggiatura è indispensabile per stabilire le pause in un discorso e dare espressione. Entrambi i casi sono fondamentali per la corretta comprensione di un testo. I tentativi artistici di annullare i segni di interpunzione lasciamoli a Joyce: in questo libro puntiamo alla comunicazione, non all'arte. È vero che la punteggiatura può variare a seconda della sensibilità e del gusto individuale, ma esistono punti fermi (appunto...) nell'utilizzo della stessa, che sono imprescindibili per essere interpretati correttamente.

Il punto

Il punto è la pausa più lunga e definitiva, riguardo alla quale non dovrebbero esserci grossi dubbi. Ricordiamo solo che non va mai usato quando si scrivono simboli chimici, nelle sigle di province, nelle grandezze fisiche (H_2O, Fi, km). Naturalmente è usato per le abbreviazioni.

La virgola

La virgola – pausa breve – può causare qualche incertezza d'uso: vediamo di spazzarla via.

La virgola non si deve mai mettere tra:

✔ soggetto e predicato verbale;

✔ predicato verbale e complemento oggetto;

✔ davanti alla *o*;

✔ davanti alla *e* quando sia intesa come congiunzione (ho mangiato una mela e una pera).

In alcuni casi però *e* può essere preceduta dalla virgola:

✔ quando significa "eppure": (ti dissi di non farlo, e tu non mi hai ascoltato);

✔ quando introduce un periodo coordinato: (ho incontrato Mario e Giovanni, e tutti insieme siamo andati a cena).

La virgola è caldamente consigliata invece davanti a *ma*, *però*, *tuttavia* e *anzi*; infine è facoltativa davanti agli incisi (*infatti*, *di fatto*, *in effetti*). In questi casi può rendere pesante la lettura se la frase, particolarmente lunga, ne contiene già altre; si può dunque optare per non metterla.

L'importanza della virgola, a ogni modo, non è da sottovalutare: tale piccolo segno è infatti in grado di cambiare il senso di una frase.

Per esempio: "Le mele, chiuse nel sacchetto, sono state gettate nella spazzatura" e "Le mele chiuse nel sacchetto

sono state gettate nella spazzatura". Nel primo caso, tutte le mele sono state gettate; nel secondo caso, solo quelle chiuse nel sacchetto sono state gettate, lasciando supporre che ce ne siano altre rimaste. "Il vicino di casa, Giuseppe Rossi, dice di no" e "Il vicino di casa Giuseppe Rossi dice di no": secondo la prima frase, Giuseppe Rossi è l'unico vicino di casa; la seconda frase ipotizza più vicini.

Dunque sempre molta attenzione a come si inserisce la virgola in un testo.

Il punto e virgola

Il punto e virgola indica una pausa di media durata. Consente di spezzare una frase troppo lunga, cambiando anche soggetto, ma senza interrompere il discorso nel modo definitivo del punto. È inoltre utile nelle enumerazioni e negli elenchi, quando non si tratta di singoli vocaboli (per cui si usa generalmente la virgola) ma di locuzioni o simili.

I due punti

I due punti non sono assolutamente analoghi al punto e virgola. Indicano una sospensione importante, in attesa di uno svolgimento consequenziale alla frase appena conclusa, un suo ampliamento. Dunque con i due punti non è consigliabile cambiare argomento: si tratta piuttosto di una pausa per prendere fiato e attirare l'attenzione prima di entrare nel "nocciolo" della questione. I due punti sono anche usati prima del discorso diretto e per introdurre le enumerazioni.

Il punto esclamativo

Il punto esclamativo è da usare con estrema parsimonia, addirittura da evitare nelle comunicazioni ufficiali. Il suo tono enfatico ha un carattere giovanilistico e adolescenziale, che toglie pregnanza al testo.

Il punto interrogativo

Il punto interrogativo indica ovviamente una domanda. Siccome però in italiano va messo solo in fondo alla frase – a differenza per esempio dello spagnolo, in cui compare, rovesciato, anche all'inizio – è utile non costruire frasi interrogative troppo lunghe. Dopo il punto interrogativo ed esclamativo generalmente si ricomincia la frase con una maiuscola, anche se è ammesso l'uso della minuscola nel caso in cui l'interrogativa o la frase conclusa con un esclamativo siano una sorta di citazione senza virgolette. (Incredibile! dissi tra me e me).

I trattini

Generalmente sostituiscono le virgole negli incisi più lunghi o che separano troppo la frase principale. Esiste una sottile distinzione tra i trattini brevi, da usare senza spazi per le parole congiunte o composte, e quelli lunghi, per gli incisi appunto, ma è piuttosto labile specie quando si scrive a penna. Importante è ricordarsi che la frase principale deve reggere anche togliendo eventualmente l'inciso.

Le virgolette

Dal punto di vista tipografico, le virgolette sono di due tipi: quelle alte "..." e quelle cosiddette a sergente «...». Se le seconde servono principalmente per indicare il discorso diretto e citazioni testuali, soprattutto in documenti formali, le prime sono piuttosto importanti perché danno un particolare significato alle parole. Denotano infatti una sottolineatura del termine, per dargli più importanza, perché non è di uso corrente, perché impiegato con una sfumatura differente dalla abituale o principale o per sottolinearne il tono ironico. Si usano infine anche per riportare un discorso diretto all'interno di un altro discorso diretto senza fare confusione.

Non bisogna però abusarne: un testo pieno di virgolette risulta pesante. Per darvi un'immagine corrispondente alla lettura di un testo pieno di virgolette, è come se un oratore schioccasse le dita ogni volta che si presentasse un termine virgolettato nel suo discorso. Fastidioso, alla fine.

Trattino e...
A CAPO

La divisione in sillabe per andare a capo nel testo è una di quelle cose che abbiamo sotto gli occhi e che possediamo senza farci troppo caso fino a che... non arriva il momento di usarla. Allora cominciano i dubbi.

❶ Alcuni elementi che non andrebbero divisi nemmeno in fine di riga:

✔ le sigle (o acronimi), come USA, CGIL, ONU ecc.;

✔ i numeri espressi in cifre. Se proprio inevitabile, possono essere separati a migliaia;

✔ i simboli e i numeri che definiscono (4 kg e 10 m).

❷ Le parole straniere possono essere divise secondo i criteri italiani, anche se sarebbe meglio, soprattutto in caso di testi tecnici, seguire i principi della lingua specifica.

❸ Al di là della regola di base – non si separano le sillabe, ovvero i gruppi fonetici – vediamo i casi dubbi:

✔ se una parola comincia con una vocale, questa fa sillaba a sé: a-mo-re, u-nio-ne. Ma se si tratta di mandare a capo una parola, di solito non si usa dividerla dopo la prima lettera (meglio amo-re che a-more);

✔ le consonanti singole fanno sillaba con la vocale che le segue, sia che si trovino a inizio parola sia che si trovi-

no tra due vocali: ca-ne, co-me-ta;

✔ le doppie si separano: cop-pia, let-to;

✔ una vocale tra consonanti si unisce alla consonante precedente: pa-gliac-cio;

✔ la lettera *x* è considerata una consonante unica: ta-xi;

✔ le consonanti a fine parola si uniscono alla vocale precedente: au-to-bus;

✔ i seguenti gruppi non si dividono mai ma si uniscono alla vocale seguente: *ch*, *gh*, *gl*, *gn*, *sc* (oc-chia-li, lu-glio, a-gno-sti-co, u-sci-ta); e ancora la *s* seguita da consonante, sola o seguita a sua volta da *h*, *l*, *r* (co-sta, mu-schio); gruppi di consonanti composte con *l* o *r* (a-tlan-ti-co, A-fri-ca);

✔ il gruppo *cq* si separa: ac-qua, ac-qui-sto;

✔ i gruppi composti da *l*, *m*, *n*, *r* seguiti da consonanti si separano: al-ber-go, om-brel-lo, an-ti-pa-ti-co, ar-ti-sti-co;

✔ i gruppi di vocali composti da *i* che addolcisce il suono di *g* e *c* non si dividono: ug-gia, ac-cia-ri-no;

✔ non si dividono i dittonghi: pa-tria, chia-ra;

✔ le parole composte si dividono in genere nel punto in cui si combinano: trans-na-zio-na-le. Nel caso però che la parola non sia più percepita come composta, è possibile anche dividerla secondo le normali regole di sillabazione (bene su-per-uo-mo, ma è consentito anche su-pe-ruo-mo).

In generale è sconsigliabile andare a capo in presenza di parole molto corte. Così come è brutto andare a capo dopo l'apostrofo (all' – a capo – allevamento): altrettanto sgradevole è scrivere le parole apostrofate in forma completa per non lasciarle tronche (allo – a capo – allevamento).

Come dare I NUMERI

D'accordo, spesso come scrivere un numero è una questione di stile piuttosto che di sostanza. Ma per una buona forma è comunque utile sapere come comportarsi. Innanzitutto, per capirsi:

✔ i cardinali sono uno, due, tre, venti, quarantadue, trecento e così via;

✔ gli ordinali sono primo, secondo, terzo, ventesimo, quarantaduesimo e così via;

✔ i moltiplicativi sono doppio, triplo, centuplo e così via;

✔ i frazionari sono un quarto, due terzi, otto decimi e così via;

✔ i collettivi sono ambo, ambedue, entrambi (questi ultimi usati spesso in funzione di pronomi), decina e così via.

Generalmente è meglio scrivere i numeri in lettere e non con i numeri arabi; sicuramente vanno scritti in lettere i numeri da uno a dieci, cento, mille, -mila, milioni e miliardi.

Inoltre si scrivono in lettere i numeri che hanno un valore simbolico-emotivo piuttosto che aritmetico: "Quando avevo vent'anni...".

Quando si parla di un decennio, oltre ovviamente alla parola, scritta con la iniziale maiuscola, è possibile utilizza-

re il numero, non preceduto dall'apostrofo: avremo quindi gli anni Cinquanta o gli anni 50. Si può usare l'apostrofo per elidere le prime due cifre dell'anno di una data. A patto però che il secolo sia già specificato in precedenza, o l'evento sia inequivocabile, in modo da non lasciare dubbi: la guerra mondiale del '15-'18. Ma meglio 1915-1918.

I secoli e i millenni si scrivono sempre in lettere con la maiuscola. In ogni caso, nell'indicare un secolo si deve omettere la parola "mille": mai il Millecinquecento o, peggio, il 1500, ma il Cinquecento.

Se l'ordinale non è scritto per esteso, è necessario aggiungere al numero, senza spazio, il segno tipografico °.

Se il numero accompagna il nome e ne fa parte, come nel caso di re e papi, va utilizzata la cifra romana che, lo ricordiamo, indica di per sé un numero ordinale, pertanto non va seguita dal segno °. Quindi si scrive papa Giovanni XXIII e non XXIII°.

Le percentuali vanno scritte in cifre, seguite senza spazi dal segno percentuale % nel caso di documenti tecnici; nei testi non tecnici talvolta si usa l'epressione *per cento* scritta subito dopo il numero in cifre.

Tempi, forme e modi

I VERBI

L'italiano è una lingua complessa e ricca di modi verbali. In realtà nel parlato quotidiano non solo si stanno perdendo i preziosissimi congiuntivi e condizionali, ma anche alcuni tempi dell'indicativo vanno sparendo a vantaggio di pochi altri. In particolare, sembra sempre più diffuso l'uso di imperfetto e passato prossimo a scapito di congiuntivi e condizionali passati e dell'antico passato remoto. Antico non solo perché si dovrebbe usare quando si parla di azioni svolte nel lontano passato, appunto, ma anche perché ha ormai il sapore del nonno, e le giovani generazioni tendono a non usarlo più. A parte poche isole linguistiche del centro Italia, perfino al Sud dove fino a pochi anni fa era usato anche troppo per indicare fatti recentissimi, il passato remoto sta praticamente scomparendo dall'uso, soppiantato dal passato prossimo. Ma vediamo alcuni degli errori più comuni che riguardano l'uso dei verbi.

Diamo una regola

☞ *Dare* è un piccolo verbo che pare essere di difficile declinazione. In particolare all'imperfetto congiuntivo: "dassi, dasse, dassimo, daste, dassero" sono errori gravi, co-

sì come sono sbagliate le forme del passato remoto: "dammo, daste". Le forme corrette sono: dessi, desse, dessimo, deste, dessero e demmo, deste.

Congiuntivi e condizionali

In un'epoca come la nostra che sta eliminando con determinazione i chiaroscuri e le sfumature del dubbio, congiuntivo e condizionale risultano essere due fastidiosi, inutili eccessi linguistici. Una vera perdita concettuale prima ancora che stilistica. Non possiamo pertanto che esortare all'utilizzo: la ricchezza di tali modi non va sottovalutata soprattutto nello scritto, dove l'espressione vocale non aiuta. Un congiuntivo o un condizionale possono addolcire una proposta, ingentilire una critica, consentire un dialogo maggiore.

Se infatti l'indicativo è il modo della realtà (in tutti i suoi tempi, quindi anche in quell'imperfetto che spesso sostituisce i congiuntivi), questi altri due sono i modi della possibilità, dell'incertezza, della disponibilità. Verrebbe da dire, i modi della diplomazia e del *savoir faire*, oltreché, in molti casi, di una maggiore correttezza e precisione. Non per nulla, un suggerimento in caso di dubbio nell'utilizzo del congiuntivo è proprio quello di ricordarsi di usarlo sempre dopo un verbo che esprime un ordine, una preghiera, un timore, un desiderio, un permesso, una speranza o un sospetto, un'opinione o un convincimento.

In particolare, ricordiamo che nelle frasi con *sebbene*, *nonostante*, *malgrado*, *quantunque* il congiuntivo è ob-

bligatorio. Dunque mai "sebbene l'aveva visto", ma "sebbene l'avesse visto"; mai "nonostante sapeva la verità", ma "nonostante sapesse la verità" e così via.

Con *se* le cose si complicano: quando *se* introduce un'ipotesi reale, vuole l'indicativo (se guardi a sinistra vedi il mare). Vuole invece il congiuntivo quando esprime un'ipotesi possibile (se venissi domani ti restituirei i tuoi libri), o irreale (se fossi stato attento, avresti capito). In questi ultimi due casi l'uso del congiuntivo non è opzionale, ma obbligatorio: non si tratta di semplice sciatteria, ma di vero e proprio errore.

A proposito di verbi

☞ I composti del verbo *dire* e *fare* seguono la coniugazione del verbo da cui derivano. Dunque benedire, maledire, disdire, predire, diventano i vari benedicesti, maledicesti, disdiceva, predicevo e così via; e disfare, rifare, soddisfare, liquefare si coniugano in disfacevo, rifacevate, liquefacevi. Erroracci, anche se molto in uso soprattutto nelle regioni settentrionali: benedivo, maledivo, predisti, disfavo e disfarono, liquefavi, e così via.

Verbi impersonali

Come usare gli ausiliari *essere* e *avere* con i verbi impersonali? Parliamo di quei verbi che non hanno una "persona" appunto che faccia da soggetto. Si tratta generalmente di verbi che riguardano il clima (piovere, nevicare, tuonare e così via), ma anche altri, decisamente molto frequenti, come succedere, occorrere, piacere e dispiacere, sembrare, importare, avvenire e altri.

Regola vorrebbe che si usasse il verbo *essere* per gli impersonali. Dunque è piovuto, è successo, è importato e così via. Ma almeno per i verbi che attengono il clima la regola non è così severa e inequivocabile. Infatti se si vuole esprimere un'azione continuata è possibile usare l'ausiliare *avere* invece di essere. Dunque "Ha piovuto tutta la notte" non è scorretto, così come "Aveva nevicato incessantemente durante tutta la stagione".

Concordanze

Molti i dubbi che sorgono a proposito delle concordanze dei verbi ausiliari e dei servili. Questi ultimi, *dovere, volere* e *potere*, reggono il verbo *essere* o *avere* a seconda del verbo che "servono", cioè il verbo che li segue. Dunque se *partire* vuole l'ausiliare *essere*, il costrutto con un servile sarà "è dovuto partire"; mentre con il verbo *dire*, che richiede l'uso di *avere*, si scriverà "ho dovuto dire questo".

Anche la concordanza dei participi passati a volte crea difficoltà. Se l'ausiliare è *essere* non ci sono dubbi: la concordanza di genere e numero con il soggetto deve esse-

re rispettata. Dunque "sono stato aiutato dagli amici" e "i nostri amici sono partiti".

Ma se l'ausiliare è *avere* le cose si complicano. Tendenzialmente il participio non si dovrebbe concordare, bensì lasciare al singolare maschile (i presenti hanno dovuto ammettere la verità). Accade però, soprattutto con l'uso delle particelle pronominali (*mi*, *ti*, *ci*, *vi*, *lo*, *li*, *la*, *le*, *ne*), che il participio debba necessariamente essere concordato quando le particelle precedono il verbo (li hanno dovuti arrestare); se invece sono unite al verbo, il participio non si concorda (hanno dovuto arrestarli).

Le parole STRANIERE

Ecco un altro caso in cui la parsimonia non è mai abbastanza. Senza voler eccedere in nazionalismi di vecchia maniera così come in purismi accademici, è pur vero che l'utilizzo di forestierismi è abusato, eccessivo, soprattutto negli ultimi decenni. Il fascino dell'esotico che porta a usare parole straniere quando non ce n'è bisogno, unito a un rozzo tentativo di far sfoggio di conoscenze linguistiche internazionali o di appartenere a una esclusiva cerchia di persone dalla stretta familiarità con l'intero globo, generalmente denotano proprio il contrario, ovvero un certo goffo provincialismo e una conoscenza piuttosto superficiale della propria e altrui lingua, che non consente una immediata e precisa traduzione del concetto.

È necessario comunque fare una distinzione: esistono parole, come per esempio tennis, cocktail, krapfen, taxi, corrida, jeans, harem, karate, mascotte, rock, che sono ormai entrate nell'uso comune e che, soprattutto, non hanno un corrispettivo diretto in italiano, un solo vocabolo con il medesimo significato (prestiti di necessità).

Altre ormai usate nella loro italianizzazione, come sciampo, bidè, tazebao, borderò, folclore, ragù, valzer; altre an-

cora sono parole straniere indispensabili in alcuni settori, perché tecnicismi, come *art déco*, *collage*, *by-pass*, *essai*, *foie gras*, *hardware*, *videoclip*. Ci sono poi i forestierismi inutili (prestiti di lusso), che hanno un corrispettivo efficacissimo anche in italiano: di seguito ne menzioniamo solo alcuni tra i più abusati.

Gentlemen's agreement ➡ accordo tra gentiluomini
Antitrust ➡ antimonopolio
Basket ➡ pallacanestro
Business ➡ affare, azienda
Cachet ➡ compressa
Cash ➡ contanti
Défilé ➡ sfilata
Feedback ➡ reazione, risposta
Gap ➡ scarto, divario
Haute couture ➡ alta moda
Impeachment ➡ incriminazione
Kit ➡ equipaggiamento

Lunch ➡ pranzo
Meeting ➡ riunione
Penalty ➡ calcio di rigore
Sandwich ➡ tramezzino
Show ➡ spettacolo
Stage (parola francese e non inglese) ➡ tirocinio
Staff ➡ personale
Team ➡ squadra
Training ➡ addestramento
Trend ➡ tendenza
Target ➡ obiettivo
Weekend ➡ fine settimana

Nell'epoca di internet, poi, assistiamo a qualcosa di peggio della semplice inflazione di parole straniere: invece dell'utilizzo del termine italiano corrispondente, viene rubato il vocabolo, generalmente inglese, e italianizzato con l'aggiunta arbitraria di desinenze e suffissi. Ecco allora brutti *scannerizzare* o ancor più inquietanti *scannare* invece di scandire. In effetti l'informatica ha grosse responsabilità nell'introduzione di massa di forestierismi gratuiti. Tipico vizio italiano: non si capisce perché infatti gli spagnoli possano dire *raton* mentre noi invece siamo schiavi del *mouse*, anche se poi siamo stati in grado di produrre l'ottimo stampante invece di *printer*.

Insomma, a conti fatti meglio dunque usare quanto più possibile l'italiano, peraltro una lingua ricca di sfumature e più ampia di molte altre straniere. Saper utilizzare un lar-

go numero di termini italiani denota una capacità di pensiero altrettanto sviluppata, un segnale decisamente migliore rispetto al rivogare vocaboli malmasticati di dubbia provenienza.

Uno per due

☞ *Forfait* è una voce francese ormai molto diffusa anche in Italia, che ha un doppio significato: "compenso fisso e pattuito" e "ritiro, rinuncia" (usato spesso quest'ultimo nelle competizioni sportive). Con questo secondo significato esiste anche il vocabolo inglese *forfeit,* che è però preferibile non usare.

Mettiamoci d'accordo

☞ Ecco alcune delle parole straniere entrate nell'uso corrente e il modo migliore per scriverle:

- cashmere (ma anche cachemire o kashmir);
- comfort (inglese) e non confort (francese);
- crack e non crac;
- forfait e non forfeit (ma "forfettizzare");
- gol (italianizzato) e non goal;
- harakiri e non karakiri;
- un'impasse (femminile);
- ok e non o.k.;
- pullman e non pulman;
- silhouette (con la h);
- valzer e non walzer.

Un po' di LATINO

Una piccola nota sulle parole e le locuzioni latine. Sicuramente affascinanti, apprezzabili quando centellinate e distribuite con sapiente tempismo purtroppo sono spesso citate in modo scorretto. Quando il liceo diventa un lontano ricordo, o quando già dal liceo il latino era un perfido sicario, gli errori sono in agguato.

Di seguito, alcune delle frasi che più spesso vengono sbagliate o usate a sproposito.

Ad hoc: per ciò, per questo effetto. Ovvero quando si vuole intendere che qualcosa è particolarmente adatto alla circostanza, pensato espressamente per tale scelta.

Ad maiora: a cose più grandi. Si tratta di un augurio che generalmente si rivolge a chi ha ottenuto un buon risultato con l'intenzione ovviamente di auspicargliene di sempre maggiori.

A latere: a fianco (letteralmente). Espressione che generalmente serve a indicare un alto prelato che fa le veci del pontefice. È impiegata anche in riferimento ai magistrati: il giudice a latere forma con il presidente il tribunale. Non va quindi usata per indicare che qualcuno o qualcosa si trova "a fianco di... ".

Aut aut (e non out out!): o... o... Si utilizza come locuzione per indicare una scelta definitiva, ingiunta probabilmente dopo lunga incertezza.

Brevi manu: a breve mano. Si intende una consegna fatta personalmente, senza intermediari, specialmente senza denaro.

Casus belli: caso di guerra. Avvenimento che costringe alla guerra. Spesso e volentieri si intende come pretesto per fare la guerra.

Conditio sine qua non: condizione senza la quale non. Situazione che si rende indispensabile per agire in un determinato senso, imprescindibile.

Conquibus: con quali (sottinteso "soldi"). Di solito usato al singolare, indica in modo scherzoso le necessità economiche per raggiungere un determinato obiettivo.

Cum grano salis: con un pizzico di sale. Si intende la piccola riserva con cui valutare una determinata notizia o situazione, da non accogliere alla lettera.

Deo gratias: grazie a Dio. Esclamazione di sollievo per uno scampato pericolo o un problema che si risolve.

Deus ex machina: il dio dal congegno. Nella tragedia greca esisteva questo stratagemma: quando la situazione era senza possibile soluzione, un attore che impersonava la divinità veniva calato in scena dall'alto per mezzo di una macchina, e il suo intervento, in quanto divino, aveva il potere di risolvere qualunque situazione, per quanto intricata e problematica, stravolgendola. In tal modo va dunque intesa la locuzione: si attribuisce a una persona o a un av-

venimento che è in grado di risolvere in modo insperato una faccenda difficile. Meno frequente (e meno corretto) il suo utilizzo anche in senso negativo, per indicare di fatto chi trama nell'ombra.

De visu: con i propri occhi. Constatare di persona, per una testimonianza particolarmente veridica.

Do ut des: ti dò affinché tu mi dia. La formula risale al diritto romano, in cui designava un tipo di contratto. Oggi è utilizzata per indicare uno scambio di favori, solitamente illecito o comunque non del tutto corretto.

Dulcis in fundo: il dolce viene in fondo. Usato generalmente in senso ironico, a indicare una conclusione particolarmente spiacevole di una serie di sfortunati eventi. Ma è possibile trovarlo anche usato in senso positivo.

Errare humanum est: sbagliare è umano. La frase si conclude con "perseverare autem diabolicum" ovvero perseverare invece è diabolico. Il significato è palese.

Errata corrige: corregge gli errori. Frase fatta che indica un elenco di errori tipografici e non, con le corrispettive correzioni, riportato in un'opera stampata. È una locuzione invariabile e di genere maschile, quindi un errata corrige, che ha comunque valore plurale. Attenzione anche alla pronuncia: *còrrige*, che vuole l'accento sulla prima sillaba, deve essere letto come è scritto e non con improbabili pronunce all'inglese.

Ex aequo (la forma *ex equo* è usata, anche se da evitare): a pari merito. Il senso della traduzione letterale è chiaro.

Forma mentis: forma della mente. Attitudine a considerare le cose, dovuta all'educazione e alle abitudini ricevute.

Homo homini lupus: l'uomo è lupo nei confronti dell'uomo. Detto di solito in merito all'egoismo umano nei confronti dei propri simili.

Honoris causa: a titolo d'onore. Simile a *ad honorem*, serve a indicare titoli accademici concessi per meriti speciali anziché per normale corso di studi.

Illico et immediate: sul posto e subito. Si tratta di una domanda di presenza perentoria, generalmente usato in ambito ufficiale.

In extremis: agli estremi. Designa un fatto positivo accaduto poco prima dello scadere dei termini, appena prima che fosse troppo tardi.

In pectore: in petto. Si dice di una persona che appare a tutti destinata a rivestire una determinata carica succedendo a qualcuno, prima che l'investitura sia resa nota pubblicamente.

Interim: nel frattempo. È il tempo in cui un incarico, generalmente amministrativo o politico, rimane vacante. Ministro *ad interim* è colui che ricopre provvisoriamente la carica di ministro in attesa della nomina effettiva.

Ipso facto: per il fatto stesso. Si usa come sinonimo di immediatamente o, più correttamente, di automaticamente.

Iter: cammino. Spesso usato intendendo un percorso burocratico lento e ricco di intoppi.

Lapsus: scivolata, sdrucciolone. Si intende metaforicamente un errore della mente, attribuibile a momentanea disattenzione.

Longa manus (e non mano): lunga mano. Si dice, generalmente con tono dispregiativo, di chi è sospettato di agire per conto terzi, assecondando trame illegittime o comunque subdole.

Lupus in fabula: il lupo nella favola. Con questa locuzione si allude a chi appare proprio nel momento in cui si sta parlando di lui/lei.

Manu militari: a mano armata. Si intende l'intervento delle forze armate dello stato in occasione di disordini.

Mare magnum: grande mare. Generalmente si usa come sinonimo di una quantità di cose molto ampia e disordinata, in cui non è facile trovare un ordine, una rotta.

Melius abundare: sottinteso "quam deficere", significa meglio abbondare che scarseggiare.

Mens sana in corpore sano: mente sana in corpo sano. Attenzione, non si tratta di uno slogan fascista ma le sue radici sono decisamente più antiche e nobili. Per i Latini era

infatti fondamentale curare sia la mente che lo spirito. La lucidità di quest'ultimo viene palesemente annebbiata nel caso in cui il corpo sia trascurato o dolorante (basti pensare a come si ragiona male quando si è in preda al mal di stomaco o a come si è portati al pessimismo se la schiena duole).

Modus vivendi: modo di vivere. Si intende come un compromesso tra due parti opposte o comunque differenti che si trovano a convivere forzatamente e che pertanto devono trovare una strada per non litigare costantemente.

Mors tua, vita mea: la tua morte è la mia vita. Un po' cinico, tale motto è una sorta di giustificazione alla mancata compassione per le disgrazie altrui.

Motu proprio: di propria iniziativa, spontaneamente.

Mutatis mutandis: cambiate le cose che vanno cambiate. Generalmente si usa questa frase per sottolineare ana-

logie tra due situazioni, pur concedendo alcune minori differenze del caso, che vanno, appunto, adattate.

Nemo propheta in patria: nessuno è profeta in patria. Innanzitutto la scrittura corretta è appunto con il *ph* (non profeta). Il senso è abbastanza chiaro: è più facile avere successo dove si è poco conosciuti.

Noli me tangere: non toccarmi.

Non plus ultra: non oltre. Si usa per definire una cosa al suo massimo livello, eccellente.

Obtorto collo (non ob torto collo): a collo torto. Si dice di chi fa qualcosa controvoglia, obbligato da condizioni contrarie al suo volere.

Omissis: tralasciate. È sottinteso "altre cose", e si usa per indicare parti di uno scritto che non vengono riportate perché irrilevanti ai fini della comprensione.

Omnia munda mundis: tutte le cose sono pure per i puri. Frase tratta dalle lettere di san Paolo, con cui si intende incitare chi è nel giusto a non curarsi delle apparenze e di chi accusa ingiustamente, intendendo che i malvagi vedono il male ovunque, anche dove non c'è.

O tempora, o mores!: o tempi, o costumi! Frase generalmente usata in tono scherzoso per lamentare la corruzione dei costumi contemporanei.

Per aspera ad astra: attraverso le asperità si arriva alle stelle. Incitamento a non perdersi d'animo, perché la strada che porta al successo è irta di difficoltà.

Pecunia non olet (non olent): i soldi non hanno odore. Piuttosto evidente il senso. Il valore dei soldi – per alcuni

– è tale per cui non puzzano mai, nemmeno se la provenienza è ambigua.

Qualis pater, talis filius: quale il padre, tale il figlio. A indicare i difetti del figlio, piuttosto che i pregi, ereditati dal padre.

Rara avis: uccello raro. Di solito detto di persona dalle doti o caratteristiche eccezionali, difficili a trovarsi negli altri.

Redde rationem (e non re de rationem): rendi conto. Si intende il momento in cui i nodi vengono al pettine e si deve render conto del proprio cattivo comportamento.

Refugium peccatorum: rifugio dei peccatori. Locuzione usata in modo ironico per indicare posti o persone capaci di accogliere tutti, indipendentemente dalle qualità.

Repetita iuvant: le ripetizioni sono utili. Si commenta da sé. Si impiega sia per ripetizioni verbali che di azioni.

Sancta sanctorum: le cose sante fra le sante (letteralmente). In origine era la cella del Tempio di re Salomone, oggi sta a significare "le cose più sacre" e viene utilizzato per indicare un luogo riservato il cui accesso è considerato un privilegio.

Si vis pacem, para bellum: se vuoi la pace, prepara la guerra. Ovvero, se si vuole stare tranquilli bisogna sempre essere pronti e in armi per difendersi.

Status quo: (o statu quo) nello stato in cui (sono le cose). Spesso accompagnata dal verbo "ristabilire", la locuzione indica il desiderio di riportare una certa situazione a un dato momento prima di un grande cambiamento; altrimenti può significare una condizione che si desidera mantenere.

Sui generis: di genere proprio. Inteso piuttosto in senso negativo, indica qualcuno o qualcosa che non può essere accomunato a niente di simile, non qualificabile in una categoria prestabilita.

Temporibus illis: in quei tempi. Locuzione usata scherzosamente per indicare un tempo ormai definitivamente concluso.

Tu quoque: anche tu. Sono le parole usate da Giulio Cesare prima di morire accoltellato da alcuni attentatori tra cui anche Bruto, suo figlio adottivo. L'espressione indica dunque una triste constatazione di "tradimento", vero o figurato, da parte di chi meno ci si sarebbe aspettati di vedere in tali vesti.

Ubi maior, minor cessat: dov'è il maggiore, si estingue il minore (letteralmente). Doppio è il significato con cui si utilizza questa frase. Sia per intendere che quando persone di maggiore importanza intervengono in una situazione, i subalterni, volenti o nolenti, si adeguano alle loro decisioni; sia per indicare che accadono problemi più importanti di quelli che si stavano trattando in quel momento, si accantonano quelli minori per risolvere i più gravi.

Una tantum: per una volta. Spesso usato per indicare spese o pagamenti eccezionali, comunque eventi che non si ripetono metodicamente.

Veni, vidi, vici: venni, vidi, vinsi. Le parole, attribuite a Giulio Cesare a commento di una rapida e vittoriosa campagna in Oriente, indicano un successo raggiunto in modo fulmineo.

Verba volant: le parole volano. Seguito da "scripta manent", gli scritti rimangono, significa che il valore di ciò che si scrive rispetto ai commenti e agli accordi presi solo a voce ha ben altro peso.

Vox populi vox Dei: voce di popolo, voce di Dio. Motto fatto proprio da molte riviste di pettegolezzi, sostiene che la maggior parte di ciò che la gente sostiene ha un fondamento di verità. Ovvero, se in tanti lo dicono, dev'essere vero.

Varietà e curiosità:
DIALETTISMI

I dialetti non sono delle "sottolingue", bensì dei veri e propri idiomi differenti. Naturalmente i dialetti sono sopravvissuti, anche se si vanno spegnendo in molte zone d'Italia; qualche problema lo creano quando si mescolano alla grammatica italiana, creando strani ibridi e piccoli errori grammaticali.

Esistono differenti abitudini di utilizzo delle parole tra Nord e Sud, usi impropri piuttosto che veri e propri errori: un esempio è l'uso di *stare* nel meridione, dove il verbo è spesso sinonimo di essere ("sto malata", "sta assente"); nelle regioni del Nord invece è un classico la locuzione "ce l'ha su con me" invece del più semplice "ce l'ha con me".

A volte i dialetti sono causa di veri e propri errori ortografici: tipico è il raddoppio consonantico del Centro-Sud, mentre al Nord il rischio è esattamente al contrario, di non usare le doppie

quando sono necessarie. Sempre per tale risparmio linguistico, le regioni settentrionali storpiano vocaboli come *cabina* in *gabina* (foneticamente la *g* richiede meno sforzo di pronuncia), mentre nel meridione una sostituzione tipica è quella della *r* al posto della *l* davanti a *t* e *d* (soldi e coltelli diventano sordi e cortelli).

Esistono poi parole usate comunemente che però appartengono esclusivamente al dialetto locale, e non all'italiano. Se possono essere tranquillamente usate in ambito locale e familiare, vanno assolutamente evitate nello scritto. Dunque altolà ai vari *cacio* (per *formaggio*), *pegola* (per *sfortuna*) , *puncicatura* (per *puntura*), *barba* (per *zio*), al verbo tenere usato al posto di avere. Se il dialetto può avere un suo spazio tra le mura domestiche, in uno scritto ha l'unico effetto di far sembrare sciatto e poco curato il contenuto.

Il dialetto comune

☞ Esistono diverse parole di marcata origine dialettale che hanno da tempo superato i confini regionali per essere non solo comprese ma comunemente usate da tutti. Vediamone alcune.

• Abbacchio – La specialità gastronomica è apprezzata e cucinata ben oltre i confini regionali del Lazio. Deriva dal latino *ad baculum* cioè legato a un bastone, situazione in cui si teneva appunto l'agnello prima di cucinarlo.

• Abbioccato – Voce tipica delle zone del Lazio ai confini con la Toscana, che indica chi è stanco, mezzo addormentato, sicuramente intontito. Pare derivi da biocca, che in al-

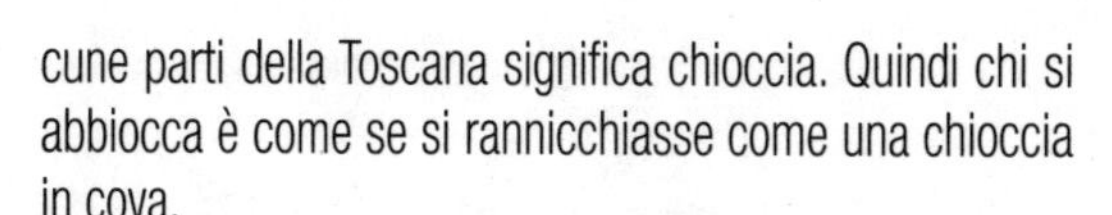

cune parti della Toscana significa chioccia. Quindi chi si abbiocca è come se si rannicchiasse come una chioccia in cova.

• Ammanicato – Voce desunta dagli ambienti politici romani, che indica chi ha rapporti di clientelismo con i potenti.

• Barbone – Vocabolo milanese, inizialmente a indicare chi aveva la barba lunga e quindi poco curato, è ormai ovunque accettato come sinonimo di vagabondo, senza casa.

• Cafone – Paola di origine napoletana, il cui significato era contadino, da cui si è poi traslato in senso ingiurioso in rozzo e villano.

• Frana – Inteso come persona pasticciona e incapace, deriva dal dialetto romanesco.

• Lavandino – Di origine lombarda; in italiano, il termine da usare è "lavello", oppure "lavabo" che, anticamente, era una vaschetta di marmo che serviva ai monaci da lavamano prima della messa o della mensa.

• Magone – Voce di origine milanese, che indica il sentimento di tristezza e angoscia portato da un dispiacere. Le sue ascendenze sono tutt'altro che nobili: con magone si intendono le interiora del pollo, da cui la sofferenza interiore che piglia lo stomaco.

• Malloppo – Questa parola dialettale romana deriva dall'aulico latino *manipulus*, e indica l'insieme degli oggetti rubati.

• Pataccaro – Nel meridione è diffuso nei dialetti l'uso della parola patacca a indicare un oggetto falso fatto passare per autentico,

da cui deriva anche il vocabolo pataccaro, ovvero chi rifila la fregatura.

• Quagliare – La voce è siciliana, anche se nell'isola il primo significato è quello di addormentarsi, mentre in italiano ha preso il senso di avere affinità, combinare e anche concludere.

• Ramengo – Vocabolo veneto che, nella locuzione "andare a ramengo", indica finire male, in miseria. Deriva da ramengo, ramo, ovvero il bastone su cui si appoggiavano i mendicanti.

• Sberla – L'espressione appartiene al dialetto lombardo ma, ormai, è molto diffusa e significa "schiaffo, ceffone".

• Sbronza – Espressione tipica del dialetto romanesco, che indica una bevuta eccessiva, un'ubriacatura.

• Sfizio – Voce napoletana che indica un capriccio, una soddisfazione.

• Strizza – Originario del centro-Italia, il termine significa paura; deriva da strizzare, immagine che rende l'idea dell'effetto dello spavento sull'intestino di chi lo prova.

• Tapparella – Voce dialettale dell'Italia settentrionale, indica la "persiana avvolgibile".

• Tombarolo – Dai ladri di tombe etrusche in Lazio, che trafugavano i reperti illegalmente, il termine è stato ufficializzato e ormai ovunque indica i razziatori di beni archeologici sottratti nelle necropoli.

Quando la si dice grossa
I PAROLONI

Il vizio del parolone è duro a morire. La scrittura, soprattutto in occasioni ufficiali, diventa un albero di Natale addobbato di locuzioni inutili, parole ridondanti e logore, che tutto fanno tranne che aiutare la comprensione. Come insegna Leopardi, anche nella poesia – luogo dove tutto è concesso per eccellenza – se ci va *gallina*, ci si mette *gallina*. E non "quel piumato animale che, pur avendo le ali, volare non sa, o non puote per struttura, ma ancora è in grado di deporre, una volta accoccolatosi nel luogo deputato a tal scopo, piccoli prodotti di forma ovoidale". Se il giro di parole inutile può essere un vizio che ci trasciniamo dalla scuola media, quando dovevamo fare i conti con una drammatica carestia di concetti – sicuramente non sufficienti a riempire le fatidiche quattro facciate di foglio protocollo in occasione dei temi in classe – il vocabolo altisonante è un'attitudine tutta adulta per la complicazione, per l'apparenza. Il risultato alla fine è la macchietta della burocrazia, il politichese truffaldino, quando non il libretto di istruzioni maltradotto.

Possiamo individuare due principali tipi di paroloni: quelli naturali e quelli fabbricati. Gli uni sono i vocaboli omo-

nimi ma più complicati dei primi che verrebbero in mente per esprimere un concetto; gli altri sono prodotto di una parola semplice all'origine ma appesantita per amore di quantità da suffissi e prefissi.

Naturali

In questo ambito, i politici di poca sostanza sono maestri. Cerchiamo di non seguirli, e quindi usiamo:

Da preferire	Da evitare
avvicinare	approcciare
attribuire	ascrivere
deciso	sancito
delibera	deliberazione
dirigere	direzionare
fare	espletare, effettuare
minacciare	paventare
modifica	modificazione
nome	nominativo
orientare	polarizzare
questo, quello	detto, predetto, suddetto
restare	permanere
trovare	reperire
vedere	prendere visione

Allo stesso modo si dice *biglietto* e non titolo di viaggio, *strada* e non sede stradale, *pioggia* e non precipitazione piovosa, *decremento* e non crescita negativa ecc. Non dobbiamo temere le parole, e non temiamo di chiamare le cose con il loro nome. Se effettivamente alcuni vocaboli hanno acquisito con il tempo una sfumatura negativa o dispregiativa, per cui è meglio usare *anziano* invece di vecchio, è altresì vero che il *netturbino* non cambia mestiere chiamandolo operatore ecologico, né esistono malattie belle per cui quella brutta è solo il cancro. Giri di parole stantii e sostituzioni compassionevoli non mutano la realtà. Cerchiamo di essere gentili al di là delle parole: se il moto umano è autentico, si trasmette comunque.

Fabbricati

Vediamo ora invece quali possono essere le parole appesantite da suffissi e prefissi inutili.

✔ **co-** e **con-** indicano associazione, uguaglianza di stato. Apparentemente innocui e utili, possono essere usati a sproposito. Un esempio su tutti: il cogemello.

✔ **de-** e **dis-** con significato di allontanamento e cessazione. Ottimi se si deve destabilizzare o disabituare, sono però anche all'origine di faticosi decalcarizzare, deghettizzare, decostruttivizzare, denostalgizzare, disammantare, disoccidentalizzare e disaffezionare.

✔ **fanta-** da fantasia, bene in fantascienza, ma basta con la fantapolitica, la fanta-attualità, il fanta-apparato.

✔ **maxi-** e **mini-** ovvero quando la pubblicità e la moda scendono in campo. Attenzione a come si usano, per non sembrare ridicoli o caramellosi. Se la minigonna è ormai parola a sé, un miniospedale potrebbe sembrare offensivo anche se si tratta di una piccola struttura.

✔ **neo-** imprescindibile in neonato, è diventato ormai peggio del prezzemolo come neosposo, neoeletto, neopromosso: a quando il neodefunto?

✔ **para-** anch'esso utile come paracadute, in eccesso quando inteso come somiglianza: paraodontoiatrico, paratranviario.

✔ **pre-** indica precedenza in senso temporale, abusato come preallertato, preaddobbato, preallargato.

✔ **super-** ormai sono tutti supercampioni, superappassionati, superintervistati, supersponsorizzati.

✔ **-ale** che sostituisce il caro vecchio *di*, può essere utile quando una frase è già troppo affollata di tale particella; purtroppo però il suo uso non si limita a questo. Non solo è brutto se si eccede in resistenziale, ristorazionale, ubicazionale, ma è addirittura sbagliato in casi come medicale, visto che medico, oltreché sostantivo, è anche un aggettivo.

✔ **-aggio** il suono è molto evocativo di automobili e meccanica in generale. Eppure è usato molto anche per sostantivare verbi, come movimentaggio, appontaggio.

✔ **-ismo** una delle peggiori invenzioni dei critici e degli storici, per creare un sostantivo astratto. La storia dell'arte sembra non poterne fare a meno per inquadrare correnti e tendenze, come l'espressionismo, il naturalismo, così come la letteratura e la storia, fatte anch'esse di fanatismi, marxismi, romanticismi e decadentismi. Ma fermiamo i responsabilismi, gli infallibilismi, i difensivismi, gli attesismi e chi più ne ha... più ne ometta.

✔ **-ivo** suffisso generalmente inutile. Pensiamo a nominativo (perché non usare nome?), quantitativo (quantità par poco?), continuativo (continuato, continuo?), albergativo (alberghiero?), normativa (norme?).

✔ **-izzare** inteso come rendere tale qualcosa. E allora ecco prosaici e barocchi dezanzarizzare, mascolinizzare, e i peggio calendarizzare, protocollizzare, grossolanizzare...

✔ **-mente** è il modo più semplice di formare un avverbio. Questo però non significa che lo si possa fare sempre. Non pensiamo solo a pesantezze quali permanentemente o in-

terdisciplinariamente o irriconoscentemente o concomitantemente; ma anche ai più comuni successivamente, così facile da sostituire con un breve poi, conseguentemente invece di quindi, frequentemente invece di spesso, totalmente invece di del tutto, affermativamente piuttosto che di sì.

Sfortunatamente, la lista dei paroloni possibili non si ferma qui: assembleare, custodialistico, etichettaggio, inchiestare, ministerialistico, corresponsione sono sempre in agguato. Se può capitare occasionalmente di infilare qualche vocabolo non esattamente quotidiano per evitare una ripetizione o per colorire una frase, è importante che non sia un'abitudine, una tendenza costante, uno stile.

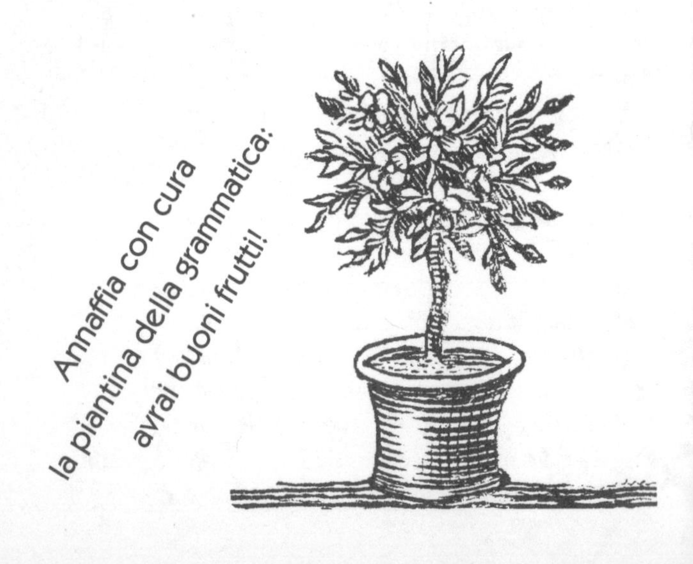

L'importanza dei TITOLI

Esiste un codice piuttosto preciso a cui attenersi nel riferirsi a titolati, religiosi e politici. Questo non significa che usare un termine piuttosto che un altro sia un peccato mortale: si tratta semplicemente di formule ormai abituali che esprimono rispetto e che tolgono da ogni dubbio.

Ecclesiastici

- ✔ Se si scrive al Papa, ci si rivolgerà a lui in seconda persona plurale (Voi), chiamandolo Santità o Beatissimo Padre.
- ✔ Cardinali: l'appellativo è Eminenza.
- ✔ Arcivescovi, Vescovi, Patriarchi: Eccellenza o Eccellenza reverendissima, Monsignore.
- ✔ Canonici, Arcipreti: Reverendissimo Monsignore.
- ✔ Parroci: signor Parroco.
- ✔ Sacerdoti e monaci: Padre.
- ✔ Monache e suore: Sorella.
- ✔ Superiora, Madre badessa: Madre.
- ✔ Pastore e pastora: signor Pastore, signora Pastora.
- ✔ Rabbino: dottore.

Politici

✔ Se si scrive a un Capo di Stato, si esordisce con Signor Presidente, Onorevole Presidente o Eccellenza e ci si rivolge a lui in terza persona singolare (Lei).

✔ Presidente del Consiglio: la formula da usare è signor Presidente.

✔ Senatore: Onorevole Senatore.

✔ Deputati: Onorevole.

✔ Ministri, sindaci, prefetti, presidenti togati, ambasciatori: signor Ministro, signor Sindaco o Illustre o Egregio signor Sindaco, signor Prefetto, signor Presidente, signor Ambasciatore.

Nobili e militari

Rivolgendosi a un imperatore si scrive Vostra Altezza Imperiale; per re e regine Vostra Maestà o Altezza Reale. Per principi sovrani si usa Altezza Serenissima, per semplici principi solo Altezza.

Per tutti gli altri nobili basta premettere signore o signora; lo stesso vale per i militari, a cui ci si rivolge usando il termine signore senza aggiungere necessariamente il grado se si è civili (obbligatorio se si appartiene all'arma).

Universitari

Se il rettore è sempre Magnifico, i professori sono Chiarissimi, mentre i ricercatori sono Dottori. Meglio evitare gli eccessi di titoli. Egregio signore e gentile signora rappresentano spesso la soluzione più semplice ed elegante.

Piccole ma utili ABBREVIAZIONI

Più facili da capire le abbreviazioni, visto che si tratta di parole troncate da un punto; più complicate le sigle, in cui appare generalmente solo l'iniziale di una locuzione: vanno comunque usate entrambe con parsimonia. I motivi sono due: da un lato fanno tanto scritto commerciale, sbrigativo e poco elegante, dall'altro un sovraccarico di sigle e abbreviazioni rischia di appesantire la lettura.

Fermarsi costantemente a riflettere sul significato sottinteso è fastidioso. Dunque, sempre meglio scrivere le parole per esteso, senza ricorrere a simili espedienti, anche in caso di cariche professionali, militari o religiose. Se proprio si rende necessario usarle, non bisogna eccedere nelle maiuscole; nello specifico, vanno scritte tutte minuscole quelle sigle che hanno ormai

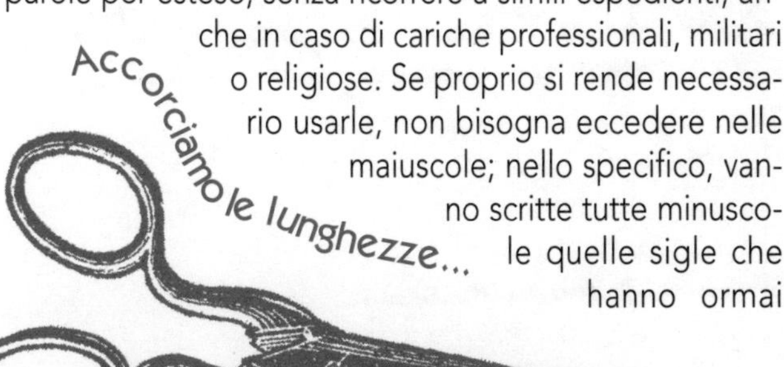

perso il loro limite di abbreviazione della parola e in un certo senso sono diventate una parola intera e completa loro stesse. Tipici esempi sono i vocaboli *doc*, ormai usato molto più ampiamente che per definire i soli vini ("un nobiluomo doc"), *laser*, *tir*, *vip*.

Le unità di misura sono tra le poche abbreviazioni meglio tollerate in uno scritto. Questo perché si può evitare di mettere il punto e perché la parola estesa spesso risulta un po' troppo tecnica. Rimanendo comunque chiaro che quando è possibile è meglio scrivere l'intera parola, soprattutto quelle che indicano misure "familiari", come chilogrammi, chilometri, tonnellate, metri quadrati.

Ecco come abbreviare le più frequenti:

✔ unità di potenza: W (watt), kW (chilowatt);

✔ unità di energia: Wh (watt-ora), kWh (chilowatt-ora);

✔ le altre unità di misura: m (metri), km (chilometri), g (grammi), kg (chilogrammi), q (quintali), t (tonnellate), m^2 (metri quadrati), m^3 (metri cubi).

Attenzione: se la sigla richiede l'uso della *k*, la parola per esteso in italiano vuole il *ch*.

Professioni

arch. ➡ architetto
avv. ➡ avvocato
dott. ➡ dottore (medico)
dott.sa ➡ dottoressa (medico)
dr. ➡ dottore o dottoressa, per tutte le altre lauree
ing. ➡ ingegnere

geom. ➡ geometra
m. ➡ maestro
prof. ➡ professore
on. ➡ onorevole
p.g. ➡ procuratore generale
p.m. ➡ pubblico ministero
sen. ➡ senatore

Religiosi

can.co ➡ canonico
Card. ➡ Cardinale
ecc. ➡ eccellenza
em. ➡ eminenza
em.mo ➡ eminentissimo
E.V. ➡ Eccellenza Vostra
LL.EE. ➡ Loro Eccellenze
LL.EEm. ➡ Loro Eminenze
mons. ➡ monsignore
m.r. ➡ molto reverendo
rav. ➡ rabbino
rev. ➡ reverendo
r.m. ➡ reverenda madre
r.mo ➡ reverendissimo
r.p. ➡ reverendo padre
S.E. ➡ Sua Eccellenza
S.Em. ➡ Sua Eminenza
S.P. ➡ Santo Padre
S.S. ➡ Sua Santità, Santa Sede

s.v. ➡ signoria vostra
V.E. ➡ Vostra Eccellenza
V.Em. ➡ Vostra Eminenza

Militari

cap. ➡ caporale
cap. ➡ capitano
cap. magg. ➡ caporal maggiore
cav. ➡ cavaliere
cav. uff. ➡ cavaliere ufficiale
col. ➡ colonnello
com. ➡ comandante
C.d.A. ➡ Corpo d'Armata
gen. ➡ generale
gr. uff. ➡ grande ufficiale
mar. ➡ maresciallo
magg. ➡ maggiore
serg. ➡ sergente
serg. magg. ➡ sergente maggiore
s.m. ➡ stato maggiore
s.ten. ➡ sottotenente
ten. ➡ tenente colonnello
u.c. ➡ ufficiale di complemento
uff. ➡ ufficiale

Saluti

aff.mo ➡ affezionatissimo
dev. ➡ devoto

dev.mo ➡ devotissimo
obb.mo ➡ obbligatissimo
vs. ➡ vostro, vostra (diverso da *vs* senza punto che sta per *versus* cioè contro)

Intestazioni

c.a. ➡ cortese attenzione
egr. ➡ egregio
ch.mo ➡ chiarissimo
ill.mo ➡ illustrissimo
comm. ➡ commendatore
spett. ➡ spettabile
sig. ➡ signore
sig.na ➡ signorina
sig.ra ➡ signora
s.p.g.m. ➡ sue proprie gentili mani
Herrn ➡ signore in tedesco (da usare solo per inviare una lettera in Paesi di lingua tedesca)
Herrin ➡ signora (idem)
M. ➡ Monsieur (da usare solo per inviare una lettera in Paesi di lingua francese)
Mme. ➡ Madame (come sopra)
Mr. ➡ Mister (da usare solo per inviare una lettera in Paesi di lingua inglese)
Mrs. ➡ Mistress (come sopra)
Sr.D. ➡ Señor Doñ (da usare solo per inviare una lettera in Paesi di lingua spagnola)
Sra.Dna ➡ Señora Doña (come sopra)

Nobili

n.d. ➡ nobildonna
n.h. ➡ nobiluomo
nob. ➡ nobile
v.s.ill. ➡ vostra signoria illustrissima.

Altre

c.m. ➡ corrente mese. Si inserisce nel testo se si deve indicare lo stesso mese della data in cima alla lettera

c/o ➡ *care of.* Sigla usata per intendere *presso*, da apporre quando qualcuno riceve la comunicazione all'indirizzo di altri

p.c. (o anche c.c.) ➡ per conoscenza (o copia conoscenza). Si usa se si inviano più copie di una missiva a varie persone interessate

p.a. ➡ per auguri

p.r. ➡ per ringraziamento

p.v. o p/v ➡ prossimo venturo, intendendo una data imminente

u.s. ➡ ultimo scorso, per indicare una data appena trascorsa

R.S.V.P. ➡ *Répondez s'il vous plaît.* In francese significa "si prega di rispondere", ed è la formula che si trova generalmente sui biglietti di invito a qualche cerimonia o presentazione, a cui è bene dare risposta per far sapere se si intende partecipare

v.g. ➡ in latino *verbi gratia*, per esempio.

SECONDA PARTE

LEZIONI DI STILE

Organizzare
LA COMPOSIZIONE

Il talento non si impara: Hemingway, Tolstoj, Proust hanno affinato la loro attitudine con l'esercizio, ma la loro eccezionalità era già nella penna – dono o fortuna che la si voglia chiamare –, sicuramente al di là della stragrande maggioranza dei comuni terrestri che si accingono a vergare uno scritto qualunque. È anche vero però che la maggior parte di chi scrive non ha la necessità di raggiungere simili vette. Per tutti noi, dunque, un buon allenamento unito a qualche regola di base è sicuramente la strada migliore per ottenere risultati soddisfacenti. Uno scritto felice, per i comuni mortali, è qualcosa che potremmo definire rapidamente come:

✔ chiaramente interpretabile;
✔ non noioso e/o faticoso da leggere;

due regole fondamentali da tenere presenti nel momento in cui ci mettiamo davanti al foglio bianco, di carta o elettronico che sia. Sembra facile? In realtà non è esattamente così semplice.

Un concetto espresso in modo lineare e immediatamente intelligibile necessita innanzitutto un pensiero che abbia simili caratteristiche, cosa già di per sé non tanto scon-

tata. Inoltre bisogna sapersi almeno un poco immedesimare negli altri e nella loro capacità di comprensione: spesso ciò che a noi pare ovvio, per gli altri tale non è. Dunque il primo consiglio è quello di chiarirsi bene le idee prima di prendere in mano la penna, per sapere con una certa sicurezza cosa si vuole dire; secondo, ricordarsi che non ci si scrive "addosso", ma che qualcuno che non siamo noi – qualcuno che magari non ha i nostri riferimenti culturali, storici o semplicemente le nostre stesse abitudini di vita – dovrà leggere il nostro testo.

Tante parole, tutte insieme, fanno una famiglia

Cenni di SINTASSI

Dietro tale brutta parola si nasconde semplicemente la distribuzione, l'ordine delle frasi e il rapporto tra loro. Non staremo qui a fare un'ampia dissertazione sulla sintassi, ma daremo solo qualche indicazione pratica su come è meglio organizzare le frasi all'interno di un discorso per rendere un concetto più immediatamente comprensibile. Per farlo, però, dobbiamo prima ricordarci rapidamente di che tipo sono le frasi e come si chiamano.

Le frasi che compongono un periodo

❶ La frase *principale* è quella che generalmente esprime il concetto più importante in modo concluso. Per esempio: "Stasera Anna è molto bella."

❷ La *subordinata*, detta anche dipendente, è la proposizione che generalmente aggiunge qualcosa alla principale. In un periodo (ovvero un insieme di frasi) possono esserci più subordinate, sia rispetto alla principale sia dipendenti da una frase già subordinata di suo. "Stasera Anna è molto bella, tanto che tutti si voltano a guardarla"; oppure "Stasera Anna è molto bella, tanto che tutti si voltano a guardarla, perché è un vero spettacolo".

❸ La frase *coordinata* è una frase anch'essa legata concettualmente alla principale, ma senza esserne dipendente formalmente. Ovvero, si può leggere da sola e avere senso compiuto. Per esempio: "Stasera Anna è molto bella e ha indossato il suo abito migliore".

Esistono diversi tipi di frasi, sia subordinate che coordinate. Vengono definite in base al significato semantico che possiedono rispetto alla principale:

✔ avversative se il concetto che esprimono è contrario a quello della principale;

✔ conclusive se esprimono una conclusione del concetto precedente;

✔ disgiuntive se i due concetti si escludono;

✔ copulative se aggiungono qualcosa;

✔ dichiarative se hanno pari valore.

E ancora interrogative, limitative, concessive, relative, temporali. Non staremo ora a fare una dettagliata analisi del periodo, specificando qualità e modi delle frasi. Per il nostro scopo, ovvero una composizione efficace e piacevole, è sufficiente avere ben chiaro il concetto base delle

proposizioni, ovvero principale, coordinata e subordinata. Una volta capita la differenza fondamentale tra i tre tipi di frase, è facile spiegare che in ogni periodo è inevitabile l'uso della frase principale, a cui si possono aggiungere subordinate e coordinate a formare un insieme più o meno complesso.

Il periodo

Non è difficile intuire però che un periodo composto di poche frasi per volta è più semplice da comprendere rispetto a un periodo articolato. Può capitare che si vogliano dire troppe cose contemporaneamente e quindi può essere utile allora fermarsi a riflettere brevemente, stabilire delle priorità e quindi procedere nella scrittura, così da facilitare la comprensione.

Molto meglio scrivere: "Ieri sera sono stato invitato a cena. La tavola era apparecchiata in modo originale: invece di candele e fiori, sul tavolo erano disposti oggetti di vetro e specchio. Facevano bella mostra accanto a piccoli vasi di piante verdi. Anche le posate erano di colore verde, così come i piatti. I tovaglioli e i bicchieri, invece, avevano sfumature gialle". Più pesante risulterebbe: "Ieri sera sono stato invitato a cena: la tavola era apparecchiata in modo originale, perché invece di candele e fiori, sul tavolo erano disposti oggetti di vetro e specchio, che facevano bella mostra accanto a piccoli vasi di piante verdi, lo stesso colore delle posate e dei piatti, a differenza di tovaglioli e bicchieri, che avevano sfumature gialle".

Certo, non è semplicissimo regolarsi sulla lunghezza dei periodi. Anche un brano dalle frasi troppo brevi rischia di essere fastidioso, un po' come avere il singhiozzo: "Stamattina devo uscire. Piove. Ora cerco l'ombrello. Non ho gli stivali. Temo che mi bagnerò i piedi".

Un trucco utile per capire se la lunghezza del periodo è buona o meno può essere leggerlo ad alta voce. Se è necessario avere polmoni da tenore per arrivare in fondo alla frase con fiato sufficiente, significa che forse è meglio fissare qualche punto qua e là.

In generale, meglio evitare di inserire troppe subordinate. Peggio poi se le frasi risultano subordinate tra loro: questo causa una sospensione semantica ripetuta, che costringe a concentrarsi molto per tenere a mente tutti i concetti lasciati a metà in attesa di sapere come andranno a finire. Ottima invece una struttura fatta da: principale, una o due subordinate; oppure principale, una subordinata, una coordinata. Non di più, o a risentirne sarà l'agilità del brano.

Lunghezza delle frasi

Oltre alla lunghezza del periodo, nella facilità di lettura gioca un ruolo importante anche la durata della frase. Così come per il periodo, anche in questo caso la concisione aiuta la chiarezza.

La frase "principe", quella più lineare e facile da comprendere, è composta da un soggetto, un verbo e un complemento oggetto. Per esempio: "Io mangio una mela". Ovviamente non tutti i concetti si prestano a essere espressi

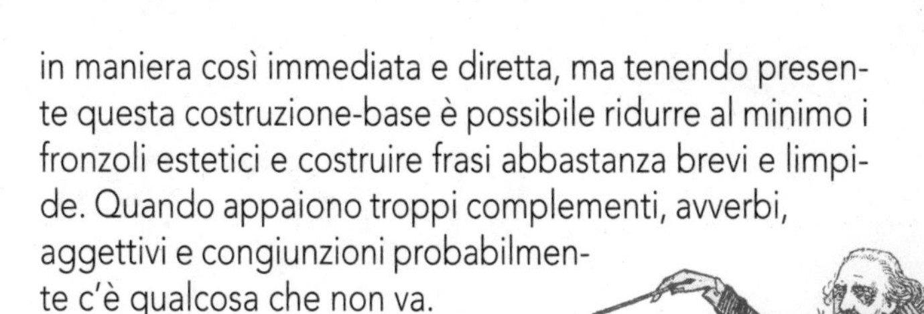

in maniera così immediata e diretta, ma tenendo presente questa costruzione-base è possibile ridurre al minimo i fronzoli estetici e costruire frasi abbastanza brevi e limpide. Quando appaiono troppi complementi, avverbi, aggettivi e congiunzioni probabilmente c'è qualcosa che non va.

Ritmo

La durata di un brano o di una singola frase sono importanti per segnare il ritmo della lettura. Ricordando ancora una volta che non stiamo parlando di scritti redatti da artisti della parola, ma che il nostro obiettivo è una nota chiara e semplice da interpretare, ben costruita e completa, è bene tenere presente che il tempo di lettura è generalmente poco. L'attenzione media che si presta a uno scritto varia dai 30 ai 90 secondi, ovvero circa trecento parole. Dopo questo breve periodo la concentrazione cala, soprattutto se non siamo capaci di mantenerla desta con contenuti particolarmente coinvolgenti. Ecco perché è importante che il nostro scritto sia ben strutturato, conciso e scorrevole. Una buona struttura garantisce un buon ritmo, un buon ritmo non garantisce ma almeno aumenta le possibilità che chi legge arrivi fino in fondo alla pagina che abbiamo preparato. Sicuramente un risultato soddisfacente.

Regole di STRUTTURA

La struttura di una frase è fondamentale per una chiara comprensione tanto quanto la sua lunghezza. Se infatti abbiamo visto che è meglio preferire frasi brevi, è importante saper articolare correttamente, nella giusta sequenza, anche quelle inevitabilmente più lunghe o complesse. Gli strumenti per rendere ben strutturata una frase sono diversi, e vanno dalla posizione dei sostantivi all'utilizzo reiterato degli stessi vocaboli, alla posizione del verbo e al discorso diretto e indiretto.

Posizione

Abbiamo visto nel paragrafo dedicato alla virgola quanto la posizione di tale segno di interpunzione possa mutare il senso della frase. A maggior ragione, la posizione delle parole all'interno di una locuzione è fondamentale per esprimere correttamente un concetto. Bisogna farci molta attenzione: spesso infatti siamo portati a usare le parole in modo automatico, secondo il loro singolo significato, senza prestare attenzione alla distribuzione. Se nel parlato l'inflessione e il tono di voce possono aiutare la comprensione, nello scritto si rischiano davvero grossolane tra-

Veleggia in acque sicure... con le frasi giuste

sposizioni di senso. Un esempio banale e antico: "Si vendono impermeabili per bambini di gomma". Ma se in questa situazione l'errore appare tanto comico quanto evidente, in un caso come: "Ho partecipato a una manifestazione contro il terrorismo a Milano" il concetto è ben diverso da: "Ho partecipato a Milano a una manifestazione contro il terrorismo", dove nella prima frase il significato è che nel capoluogo lombardo sono diffusi il pericolo di attacchi o addirittura l'organizzazione di frange terroristiche, e non semplicemente che la manifestazione si è tenuta in quella città. Dunque molta cautela nel collocare le parole all'interno della frase. Non esiste una regola ferrea per sfuggire al rischio di fraintendimenti o effetti ridicoli: bisogna stare sempre attenti.

Interruzioni di sequenza

Attenzione anche a spezzare con complementi la vicinanza tra ausiliare e participio. Tipica del parlato e delle lingue anglosassoni, in italiano suona male. Dunque meglio evitare: "Erano in precedenza stati avvisati", e "Ho da poco illustrato", preferendo sistemare le determinazioni di tempo all'inizio o alla fine della frase. Non si tratta di un errore grave, ma è sgradevole alla lettura e mantiene troppa sospensione, difficile da reggere alla lunga, tra il legame in realtà stretto del verbo e del suo ausiliare.

Esistono invece alcuni avverbi di tempo che è meglio usare proprio a spezzare la diade verbo-ausiliare, per dare maggior risalto o per precisare il concetto espresso nel verbo: "Ti ho sempre chiesto prima il permesso" oppure "È quasi finito" o "Non è ancora arrivata".

Allo stesso modo, *tutto* (quando non oggetto) e *appena* possono stare nel mezzo; sconsigliabile invece l'interruzione con *infatti* e *poi*, che stona e dà un senso di ineleganza al discorso.

Le ripetizioni

Additate da sempre e da tutti come forma di scrittura disattenta e sgradevole, le ripetizioni di parole a distanza ravvicinata in un testo sono effettivamente da evitare il più possibile. Detto questo, però, è bene ricordare che il sinonimo a tutti i costi e soprattutto la locuzione alternativa a volte rischiano di essere più fuori luogo di una semplice ripetizione del termine. Valga l'ottimo esempio riportato

da Sergio Lepri: definire San Gimignano "la Manhattan collinare" non è un buon modo di evitare di ripetere il nome della città.

Questo ci introduce anche a una seconda riflessione sulle ripetizioni. Ne esistono infatti di diversi tipi:

- ✔ quelle di parole comuni;
- ✔ quelle di identica radice od origine;
- ✔ quelli di nomi propri.

Questi ultimi possono essere impiegati più frequentemente senza dare troppo fastidio all'orecchio, a differenza dei primi due. Scrivere: "Ho deciso di portare con me il mio cane, perché senza il mio cane non sono tranquillo" è fastidioso oltreché ridondante; sarebbe infatti sufficiente: "Ho deciso di portare con me il mio cane, perché senza non sono tranquillo". Sono molti e banali gli esempi che si possono fare a questo riguardo.

Un po' più di attenzione merita il secondo tipo di ripetizione, quella creata da parole che suonano in modo analogo perché hanno la stessa radice. Come nel caso di "avvenimenti che avvengono", o di "permettere di mettere", o ancora di "soccorrere all'occorrenza".

Ci sono poi le ripetizioni date da assonanze piuttosto che da radici semantiche comuni: per esempio "lascia l'uscio aperto", "arrischiarsi a raschiare il fondo", "mirare all'ammaraggio". Anche in questo caso, meglio lasciare i virtuosismi stilistici a chi li sa fare e puntare possibilmente su una variazione.

Il gerundio iniziale

Il gerundio di inizio frase è un uso piuttosto diffuso nello scritto. "Considerando l'accaduto, la situazione non era poi così terribile"; oppure "Fermandomi solo una volta, ho pensato che fosse meglio telefonare subito"; o ancora "Stando così le cose, è meglio se ci salutiamo". Si tratta di costruzioni veloci, agili, poiché la maggior parte degli elementi sono sottintesi. Vanno però usate con parsimonia, perché l'eccesso rischia di rendere pesante la lettura. Devono essere posizionate all'inizio o alla fine del periodo, e comunque separate da virgole, per rendere chiara la loro indipendenza sintattica, ancorché non semantica, dalla principale. Altrimenti costituirebbero un errore di collegamento, quel che si definisce solitamente un anacoluto.

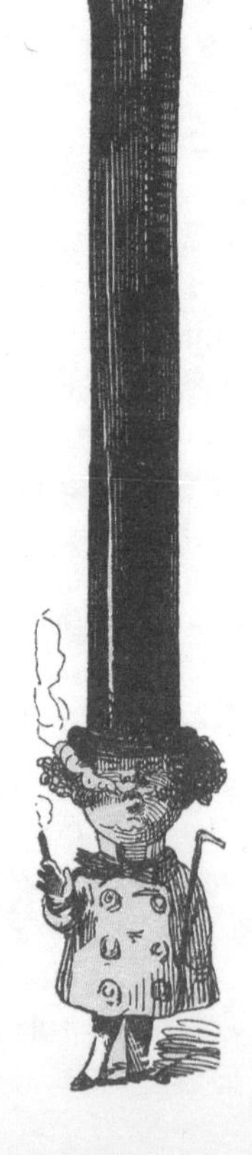

Anacoluto, chi era costui?

La curiosa parola deriva dal greco e significa "che non segue": indica infatti un costrutto che manca di nessi sintattici, di collegamento con il resto della frase. È una costruzione interrotta, il cui concetto rimane sospeso, perché varia la concordanza di genere, numero, persona o

tempo rispetto alla principale. È molto più semplice di quanto non sembri: nel parlato si utilizza spessissimo.

Se gli scrittori possono concedersi il lusso di utilizzare l'anacoluto per una particolare scelta stilistica, chi scrive per farsi capire no. Si tratta infatti di un errore di forma sostanziale. Dunque se Paolo Nori può permettersi di scrivere "Io, quando vado in giro per strada, mi sembra di aver gli occhi chiusi", noi articoleremo il nostro periodo senza l'*io* iniziale, cui non segue nessun verbo concordato, oppure scriveremo: "Quando vado in giro per strada, ho l'impressione di avere gli occhi chiusi". Quell'io rimarrebbe infatti un inizio di frase senza seguito.

Discorso diretto e indiretto

Il discorso diretto è sicuramente semplice, di notevole freschezza e tendenzialmente di facile comprensione. Nonostante ciò, non è pensabile trascrivere brani interi di discorsi senza interrompere la citazione con piccole spiegazioni, frasi indirette.

Innanzitutto per una questione di chiara comprensione: generalmente il discorso diretto non può indugiare in particolari che consentono di comprendere meglio la situazione, pena una certa aria fasulla del tono. Inoltre è bene specificare di quando in quando chi parla, in modo da ricordarlo a chi legge.

Infine, spezzare un unico discorso diretto è utile per dare ritmo a un testo che altrimenti risulterebbe un po' troppo monotono.

Fuor di...
METAFORA

La metafora è la figura retorica principe. È tra le più usate anche nel parlato di tutti i giorni, pur senza averne chiara consapevolezza, come del resto accade per la maggior parte delle figure retoriche. La sua diffusione rispetto agli altri meccanismi del "buon discorso" è testimoniata dal fatto che quando si vuole essere chiari si usa spesso la frase "fuor di metafora".

Si tratta dell'utilizzo di una parola fuori dal suo contesto logico e abituale per intenderne un'altra. Prendiamo per esempio la frase, piuttosto comune, "acque cristalline": cristallino è un aggettivo che attiene al vetro non all'acqua, dunque vi è una trasposizione semantica. L'immediatezza del passaggio in questo caso è palese, le

acque sono trasparenti come il cristallo, ma non sempre il nesso è così evidente e diretto. Se infatti prendiamo un altro diffuso modo di dire, "è un pozzo di scienza", non è tanto immediata la connessione o almeno non così inevitabile, visto che se si deve intendere il pozzo come un luogo profondo e capiente. Ne esistono molti altri che figurano altrettanto bene, se non meglio, tale concetto. Per esempio, non si dice "è una cantina di scienza" e nemmeno "è un carotaggio di scienza". E ancora, "siamo in alto mare" indica evidentemente una situazione ancora lontana dalla sua conclusione, proprio come una barca lontana dalla riva; mentre "l'altra metà del cielo", cioè le donne, non è di facile ricostruzione, pur conoscendo tutti il senso di tale metafora. Questo perché a volte l'uso della metafora è stato talmente ampio da cancellare l'originario utilizzo della parola o della frase.

Per creare una metafora si attinge a immagini di varia provenienza: un'ottima fonte si rivela il linguaggio settoriale, come quelli tecnico-scientifico ed economico finanziario. Per esempio si dice "fare il pieno" di divertimento, o "andare in orbita" quando si è innamorati, o "operare chirurgicamente" per eliminare bande di malviventi. E ancora, si utilizzano espressioni come "l'ago della bilancia" di una trama letteraria, "le quotazioni in rialzo" di una soubrette, "il filone aureo" della comicità.

Lo sport pare essere uno di quegli ambiti in cui lo scambio è quasi alla pari: se infatti si usa "giungere alla meta", "autogol", "serie B" e "mettere alle corde" ben oltre il lo-

ro ambito da palestra, è altresì vero che chi parla di atleti usa spesso termini come "un fuoco di fila", "con il coltello tra i denti", "la volata".

Le metafore, e più in generale le figure retoriche che vedremo anche oltre, sono utili nei limiti in cui la maggior parte delle persone è in grado di comprenderle: dunque nel momento in cui se ne costruisce una scrivendo, è importante essere sicuri che chi legge la possa interpretare. Se non si è certi di essere capiti, meglio evitare le metafore di carattere storico, politico o culturale nel senso più settoriale di questi ambiti.

Infine, ricordiamo la necessaria attenzione a non infilare troppe metafore di fila, rischiando trasfigurazioni comiche e incoerenti come "la vecchia volpe è ormai uccel di bosco" o peggio incresciose, come "situazione esplosiva in miniera".

Dalla A alla Z con la
RETORICA

Metafora significa *trasferimento*, e infatti di trasferimento di significato appunto si tratta. Fa parte di quel parlar figurato che abbellisce i discorsi: alla stessa categoria appartengono anche diverse altre figure retoriche, dette tropi: vediamo le principali.

✔ **Allegoria**: dal greco "parlare diversamente", usa parole e frasi per alludere ad altri significati, più profondi e nascosti. È una costruzione più ampia della metafora, al punto che qualcuno l'ha definita "una metafora continuata". L'esempio più classico lo traiamo dall'inizio della *Commedia* di Dante, in cui il poeta racconta di essersi trovato in una selva oscura e di aver perso il sentiero principale, allegoria della sua vita in quel momento confusa e negativa, lontana da un comportamento sano e corretto. Lui stesso e la sua condizione sono allegoria di quella del genere umano all'epoca. Le allegorie sono spesso usate nelle arti figurative: tutti conoscono la rappresentazione della Giustizia, raffigurata come una donna bendata, che si trova in tutti i tribunali.

✔ **Allitterazione**: è tipica delle pubblicità e dei proverbi, in cui ha lo scopo di favorire la memorizzazione del

messaggio: si tratta di riproduzione ravvicinata di suoni in parole differenti. Un esempio è "Chi non risica non rosica". Difficile da usare, richiede una buona dose di abitudine alla scrittura per non rischiare di infastidire, come nel caso della ripetizione.

✔ **Anadiplosi**: dal greco "raddoppiamento", consiste nella ripresa nella frase successiva della parola con cui si conclude la frase precedente. Per esempio, "Lo trovavo irritante: irritante per come mangiava, per come si muoveva, per come mi guardava".

✔ **Anafora**: ripete una parola o una formula all'inizio di una serie di frasi seguenti: lo scopo è sottolineare il concetto, renderlo più vigoroso. È tipico trovarla, per esempio, nei discorsi dei politici ai comizi. Esempio: "Se verremo eletti, non saremo come gli altri; se verremo eletti, potrete verificare il nostro operato direttamente; se verremo eletti, non ci nasconderemo dietro un dito al momento della verifica".

✔ **Analogia**: è una delle figure di più ampio respiro, poiché consiste nella libera associazione di pensieri e concetti basati su sensazioni e somiglianze piuttosto che su nessi logici definiti. L'analogia è praticamente una metafora senza senza rapporto di somiglianza evidente Per esempio, se diciamo: "Come nel tuo caso, non è tutt'oro quel che luccica", costruiamo un'analogia sottintendendo che la persona a cui ci riferiamo non vale quel che sembra.

✔ **Antifrasi**: così si dice ciò che comunemente si intende per ironia. In greco significa infatti "espressione contraria", a indicare ciò che si dice intendendo esattamente l'opposto, proprio come accade quando si parla con vena ironica. Dunque è un'antifrasi commentare "Ma bravo, ottimo lavoro" il disastro appena combinato dal proprio cane. In realtà l'ironia vera e propria, anch'essa figura retorica, ha un significato generalmente derisorio e invita al sorriso, mentre l'antifrasi si usa anche, per esempio, in caso di arrabbiatura sincera. Diverso ancora è il caso del sarcasmo, una sorta di ironia amara, venata di veleno.

✔ **Antonomasia**: che in greco antico significa "chiamo con nome diverso", è anch'essa molto usata sia nel parlato che nello scritto comune.

Si verifica in due casi:

❶ o in sostituzione di un nome di persona con un aggettivo o una perifrasi che la caratterizza. Alcuni esempi tra i più classici: "il sommo poeta" per indicare Dante, "la mia dolce metà" per la moglie;

❷ oppure, all'opposto, usando un nome proprio al posto di una situazione o di una persona che possieda caratteristiche analoghe. Per esempio quando di una bella donna si dice che è "una Venere", oppure si chiama "Don Giovanni" un donnaiolo.

✔ **Ipallage**: significa "scambio, commutazione", è una figura retorica molto poetica e di norma poco usata. È tipica dello scritto: prevede lo scambio di attributi da una parola all'altra all'interno della stessa frase. Per esempio, se scriviamo "le sue ossa stanche" intendiamo in realtà le ossa del suo corpo stanco. Oppure "la figura spiegazzata nella sua uniforme", dove è ovviamente l'uniforme a essere spiegazzata e non la persona. Tale trasferimento, però, consente una maggiore pregnanza di immagine.

✔ **Iperbole**: è una figura retorica che in greco significa "lancio oltre" e consiste nella variazione di un concetto nella sua quantità, portandolo a uno dei due estremi, esagerando. Per esempio quando scriviamo: "È un secolo che non ci vediamo" esageriamo la quantità in eccesso, oppure se diciamo: "È pronto in un minuto" riduciamo al minimo la quantità di tempo necessario. Dello stesso genere sono frasi come: "Essere in un mare di guai", "Non muoversi neanche morti", "Non ha un briciolo di cervello", "Esco a fare due passi", "Facciamo due chiacchiere". Dunque anche l'iperbole è una figura estremamente diffusa.

✔ **Metonimia**: dal greco "scambio di nome". Con la metafora e la sineddoche, è anch'essa tropo che indica uno spostamento di significato. Ma se nella metafora la sostituzione è più libera e riguarda somiglianze vaghe, nella metonimia lo scambio avviene tra parole appartenenti allo stesso campo semantico o che hanno un rapporto di causa/effetto o un legame di reciproca dipendenza, e richiede una certa dose di contiguità logica fra le parole

scambiate. Si tratta di una figura retorica molto comune nel parlato, cui facciamo spesso ricorso senza rendercene conto. Si possono individuare diversi tipi di sostituzioni metonimiche, tra cui per esempio:

➡ la causa per l'effetto o viceversa: "senti il pianoforte", ovvero il suono emesso dal pianoforte;

➡ l'autore per l'opera: "leggere Leopardi", cioè le sue poesie;

➡ il produttore, la marca o la località di produzione per il prodotto: "comprare le Timberland", "indossare un Armani", "una bottiglia di Chianti";

➡ il proprietario per la cosa posseduta: "Giorgio va a cento all'ora" (in realtà ci va la sua automobile);

➡ il patrono per la chiesa: "celebrazione in San Pietro";

➡ la sede per l'istituzione o l'organo di governo o l'industria: il Vaticano per la Chiesa ("il Vaticano fa sapere..."), la Casa Bianca per il Presidente degli Stati Uniti, o anche Londra per il governo inglese;

➡ la divinità per i suoi attributi o l'ambito di influenza: "Marte" per intendere la guerra, "Tersicore" per la danza;

➡ il simbolo per la cosa simboleggiata: "la piazza" per le persone che vi scendono a manifestare, "l'alloro" per gloria poetica, "la panchina" per i giocatori di riserva;

➡ le divise per indicare chi le porta: "camicie verdi" per i Leghisti, "scarpette rosse" per i giocatori di pallacanestro di Milano.

➡ passaggi dal concreto all'astratto e viceversa: "È il mio amore "per la persona che dà amore o che si ama, o

"È la sua rovina" intendendo ciò che produce tale effetto, "le prepotenze della nobiltà" per i nobili;

➡ il contenente per il contenuto: "bersi un bicchiere" invece di un po' di vino;

➡ lo strumento per chi lo usa: "È una buona penna" al posto di dire che sa scrivere bene, il "fischietto" per indicare l'arbitro;

➡ il fisico per il morale: "avere un gran cuore", cioè buoni sentimenti;

➡ il luogo per gli abitanti: "la resistenza di Milano" cioè dei suoi abitanti.

✔ **Ossimoro**: parola che occasionalmente si sente citare anche nel senso traslato di "incongruenza" e che è composta dai due termini greci "acuto" e "ottuso". Questo perché consiste nell'accostamento di due parole i cui significati sono l'uno l'opposto dell'altro. Per esempio: "Aveva dipinta una gioia triste sul viso", "Era di una dolcezza amara". Un classico celebre è costituito dalle "convergenze parallele" con tutti i suoi derivati "divergenze convergenti" e "divergenze parallele".

✔ **Personificazione**: è tra le figure retoriche di più immediata comprensione. Si tratta di utilizzare o rivolgersi a cose o concetti astratti come se fossero persone. Ma il suo impiego non è solo poetico o infantile: basti pensare a frasi come "Oggi la fortuna non ci sorride" oppure "Il sole non vuole farsi vedere".

✔ **Similitudine**: è una delle principali figure retoriche, usata moltissimo sia nel parlato che nello scritto. Aiuta a illustrare meglio un concetto, poiché esprime un'idea con un'immagine somigliante, dandole maggiore forza visiva e sostenendone il significato. A differenza della metafora, però, il suo meccanismo è reso esplicito attraverso l'uso del come. Viene considerata una sorta di metafora ampliata; immortali quelle create da Dante nella *Commedia*: "Come d'autunno si levan le foglie/l'una appresso de l'altra, fin che 'l ramo/vede a la terra tutte le sue spoglie,/similmente il mal seme d'Adamo/gittanti in quel lito ad una ad una" o ancora "Come quando la nebbia si dissipa,/lo sguardo a poco a poco raffigura/ciò che cela 'l vapor che l'aere stipa,/così forando l'aura grossa e scura,/più e più appressando ver' la sponda,/fuggiemi errore e crescémi paura".

✔ **Sineddoche**: è, come abbiamo già detto, affine alla metonimia, al punto che alcuni tendono a identificarle. In realtà si distingue dall'altra perché anche se il meccanismo è lo stesso, ovvero una sostituzione di termini, in questo caso il vocabolo che prende il posto dell'altro non ha con esso un rapporto di tipo qualitativo concettuale, quanto piuttosto quantitativo. Ovvero quando si usa il tutto per

la parte e la parte per il tutto: "una stola di volpe" invece che di pelliccia di volpe, o "dacci oggi il nostro pane quotidiano" per intendere il cibo, o ancora "un senza tetto" intendendo una persona che non ha casa.

✔ **Sinestesia**: dal greco "percezione simultanea": si tratta dell'accostamento di due vocaboli che appartengono a sfere sensoriali diverse. È il caso di "una musica vellutata", "una fame nera", "una cena spettacolare", "un'allegria tintinnante", "una gioia impalpabile".

La retorica ha acquisito nel tempo una connotazione negativa: dal suo originale significato di "tecnica di esposizione", un vero e proprio insieme di strumenti che consentono di migliorare la qualità del proprio eloquio, è passata a quello dispregiativo per cui con questa parola si intende un modo di scrivere o parlare ampolloso e inutilmente ornato.

Come tutti gli strumenti, se non viene trasformato in fine, in realtà anche la retorica rappresenta un ottimo aiuto per comunicare in modo più efficace. Non bisogna abusarne, e soprattutto è meglio esercitarsi un poco se non si è particolarmente abituati alle tecniche di scrittura, pena il risultare artefatti. Ma utilizzare saltuariamente qualche espediente può essere utile a rendere più piacevole e accattivante un testo.

Sinonimi e TAUTOLOGIE

Nello scrivere, i sinonimi sono fondamentali. In realtà non esistono due parole che abbiano esattamente lo stesso significato: generalmente si tratta di espressioni le cui sfumature sono differenti. Ma appunto di sfumature si tratta. Tenendole comunque presente, è dunque possibile e anzi utile variare i termini per aggirare il pericolo di fastidiose ripetizioni. Abbiamo già visto come evitare di cadere nell'ossessione della ripetizione, finendo per peggiorare la situazione con locuzioni stravaganti o sostituzioni fuori luogo. Abbiamo anche convenuto che è meglio non usare vocaboli vecchi o pesanti.

Esiste comunque un buon margine entro cui muoversi per non essere ripetitivi ma nemmeno sciatti. Inoltre non bisogna confondere la ripetizione cacofonica, sgradevole da ascoltare, con l'insistenza di un concetto, o una particolare tecnica utile per catturare l'attenzione di chi legge. Non solo nel caso dell'anafora, ma anche in quelle occasioni in cui si ripete il nome di qualcuno piuttosto di frequente, per permettere di tenerne sempre presente l'immagine. Questo procedimento è tipico delle favole, ma non per questo meno utile per gli adulti.

Simili ma non uguali

• Applauso, battimano, ovazione – Mentre il battimano è limitato, come spiega chiaramente il termine, al "battere le mani" per manifestare la propria approvazione, l'applauso è un'espressione più fragorosa che spesso comporta anche acclamazioni. Il battimano infatti può anche essere ironico, mentre non lo è mai l'applauso, che esprime adesione entusiasta. L'ovazione è poi una manifestazione decisamente intensa di consenso, fatta di battimani, grida esultanti e tutti i rumori possibili atti a dimostrare approvazione totale e coinvolta.

• Basette e favoriti – Le basette sono semplici allungamenti dei capelli fino all'attaccatura bassa delle orecchie, mentre i favoriti sono parte della barba, al punto che arrivano fino al mento (pur senza congiungersi).

• Berlina e gogna – Ora per fortuna solo modi di dire, hanno però significati leggermente differenti. La berlina era infatti la tavola su cui veniva esposto un condannato, costretto per il collo e per le mani; la gogna è il vero e proprio collare di metallo che gli veniva stretto attorno al collo.

• Calzolaio e ciabattino – Quest'ultimo è colui che aggiusta suole e tacchi, mentre il calzolaio sa anche fabbricare calzature su misura.

• Camera e stanza – Quest'ultimo è un termine più generico. La stanza può essere infatti un luogo adibito a varie funzioni, mentre la camera è inevitabilmente il luogo in cui si dorme o comunque in genere si svolgono funzioni più riservate.

• Cappa e mantello – La cappa faceva parte dell'abbigliamento di nobiluomini ed ecclesiastici, mentre il mantello è più comune.

• Cappotto e pastrano – Il primo, derivato di cappa, è un indumento invernale pesante civile, mentre il pastrano è piuttosto un indumento militare.

• Corteo, processione, sfilata – Tutti e tre i vocaboli indicano lo sfilare di un gruppo di persone, ma cambia il carattere dell'assemblea. Se la processione è tipicamente religiosa, la sfilata è militaresca o sportiva, mentre il corteo, più generico, ha spesso valenza politica o sociale.

• Dottore e medico – Dottore è chiunque abbia conseguito un diploma di laurea (deriva dal latino *doctus*, participio passato di *docere*, insegnare); medico è solo colui che si è laureato in medicina.

• Falegname e carpentiere – Anche se entrambi lavorano con il legno, il primo tendenzialmente realizza arredi e piccoli accessori per la casa (infissi, porte e così via), mentre il carpentiere è specializzato in costruzioni di sostanza, come navi, strutture portanti degli edifici se non addirittura abitazioni vere e proprie.

• Imberbe e glabro – Con il primo aggettivo si intende un ragazzo molto giovane, cui ancora non cresce la barba appunto. Il secondo indica invece chi, adulto, ha pochi peli sia sul viso che sul pet-

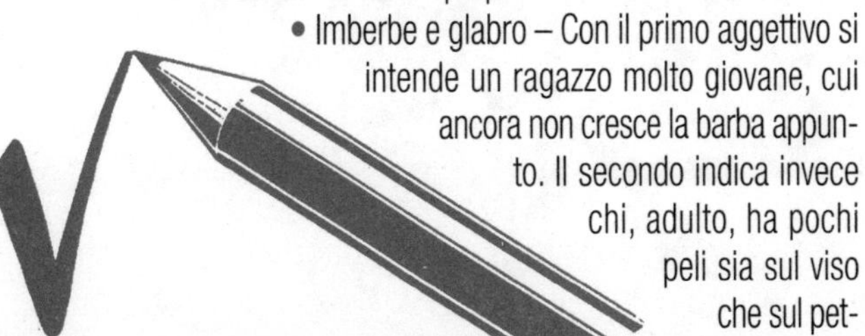

to. Da non confondersi con sbarbato, che invece si usa per chi si è appena rasato.

• Lacci e stringhe – I lacci non sono necessariamente quelli delle scarpe, tant'è che se si vuole usare questo termine in tale senso bisogna specificare "i lacci delle scarpe"; le stringhe invece sono inequivocabilmente ciò che si usa per allacciare le scarpe.

• Muri e pareti – I primi sono la parte esterna delle costruzioni, mentre le pareti sono le parti interne che separano le varie stanze.

• Mustacchi, baffi, vibrisse – Se questi ultimi sono di esclusiva pertinenza degli animali, e vantano una sensibilità superiore perché strettamente connessi con terminazioni nervose (al punto che alcuni animali li usano per orientarsi al buio), i baffi sono ornamenti del viso maschile (si spera) più ridotti e comuni, al contrario dei mustacchi, baffi importanti e di grandi dimensioni.

• Oculista e ottico – Il primo è il medico che cura gli occhi e le patologie a essi connesse; il secondo è il tecnico che fabbrica strumentazioni, lenti e occhiali oppure anche il negoziante che li vende.
• Odontoiatra e odontotecnico – Il primo è il dentista, ovvero il medico che cura i denti, mentre il secondo è il tecnico che costruisce protesi e materiale utile per il lavoro dei dentisti.
• Piazzale, piazza, largo – Il piazzale è un luogo aperto, sgombro di edifici, non chiaramente definito da limiti. La piazza invece è un luogo piuttosto preciso dell'urbanistica, contornato da edifici o comunque delimitato in qualche modo. Il largo è semplicemente un ampliamento di una strada in un dato punto, senza però che la via perda le sue coordinate in lunghezza.
• Ponte, cavalcavia, viadotto – Propriamente il ponte consente di superare un corso d'acqua, il cavalcavia è costruito sopra una strada (anche ferrata) per evitare di incrociarla, il viadotto è una colossale costruzione allestita per superare vallate e gole rimanendo in quota.
• Rumore, chiasso, baccano, fracasso – Il rumore è il più generico e può essere addirittura gradevole. Il chiasso è un rumore piuttosto allegro, tipico dei bambini: la sua origine deriva da *classicum*, la tromba latina. Baccano è invece un rumore sgradevole, come spiega la sua derivazione, legata a Bacco e alle feste che in suo onore venivano celebrate in cui i partecipanti si ubriacavano creando confusione con i loro comportamenti sguaiati. Il fracasso infine è un rumore decisamente forte e molesto: deri-

va infatti da *frangere*, ovvero rompere, e *quassare*, squotere, detto ovviamente dei timpani.

• Soffitta, solaio, abbaino, mansarda – Sono tutti sottotetti, ma mentre la soffitta è una specie di ripostiglio generico, il solaio indica più propriamente un luogo in cui si ripone a seccare del materiale (dal latino *solarium*, luogo esposto al sole). L'abbaino è la finestra che sporge dai tetti, ma per estensione indica anche un appartamento misero, ricavato da un anfratto, scomodo. La mansarda infine è un appartamento pensato appositamente, studiato e divenuto una vera e propria moda nel XVII secolo con l'architetto François Mansart.

• Sottana e gonna – Quest'ultima è solo l'indumento femminile, mentre la sottana è anche la veste maschile usata in altri tempi o dai religiosi.

• Supplizio, tormento e tortura – Il supplizio implica una sofferenza fisica, mentre il tormento ha una sfumatura più astratta e interiore. La tortura, è invece una crudele costrizione che comporta grandi sofferenze fisiche e morali.

• Tessuto e stoffa – Il primo è il termine più generico, anche figurato; può essere di vario materiale, perfino di metallo. La stoffa invece è un tessuto destinato unicamente all'abbigliamento. Anche il suo significato figurato è comunque legato al concetto sartoriale di una base da lavorare per uno scopo ("quel ragazzo ha della stoffa").

• Vestito e abito – Il primo si riferisce solo agli indumenti, il secondo ha un significato più ampio. Con esso si può intendere anche un'inclinazione o una tendenza dello spirito.

L'errore opposto della parsimonia linguistica nel ricercare vocaboli diversi per uno stesso significato è costituito dalla tautologia – parola greca composta da *tauto* ("stesso") e da *logos* ("discorso") che significa "dire la stessa cosa" –, in cui un solo significato viene espresso con diversi termini che lo ribadiscono. Non per sottolinearne l'importanza o per darne maggiore risalto, come nel caso di due aggettivi dal significato affine ma che migliorano la comprensione semantica l'uno dell'altro; parliamo del medesimo concetto ripetuto inutilmente, creando una ridondanza fastidiosa. Un esempio su tutti: il "pugno chiuso" celebrato da diverse canzoni. Come potrebbe un pugno essere aperto? Quindi, meglio lasciare solo *pugno*, e tenere il *chiuso* per un'altra occasione.

Le tautologie possono essere costituite da singole parole ripetute, così come da locuzioni che a logica raddoppiano il concetto. Un esempio del primo caso è quello del pungo chiuso, appunto, in cui l'aggettivo è inutile rispetto al sostantivo scelto. Sembrerebbe facile individuarle, ma ne esistono diverse di più sottile distinzione, in cui magari la ripetizione è interna alla parola: è il caso di "panacea di tutti i mali", in cui il suffisso *pan* già implica una totalità (in greco significa appunto *tutto*) e dunque rende ridondante il "di tutti i mali" che segue. Omologo il caso di *panorama generale*, dove *panorama* è già uno sguardo completo (come il precedente, la radice è il *pan* greco). Alcune hanno piuttosto il sapore di una distrazione, di una mancata riflessione: se scriviamo "all'alba di ieri mattina"

è evidente che la parola *ieri* ha distolto l'attenzione dal fatto che l'alba è inevitabilmente di mattina. In questo caso gioca probabilmente l'abitudine alla locuzione "ieri mattina", che viene più o meno automatica anche quando non sarebbe necessaria.

Le locuzioni tautologiche sono forse ancora meno evidenti. Se per esempio scriviamo: "Bisogna decidere se agire o meno", non è immediato rendersi conto che il *se* contiene già il dubbio fra il sì e il no, e pertanto ci si deve limitare alla forma "bisogna decidere se agire".

Stesso e medesimo

☞ Paiono sinonimi, ma non lo sono. Si tratta di una sfumatura, è vero: ma spesso le sfumature sono il senso delle cose. *Stesso* ha un significato rafforzativo: potrebbe essere sostituito con "in persona". Dunque si dice: "L'ha fatto lui stesso", "Ho verificato io stessa", "Siamo andati noi stessi". *Medesimo* invece indica una ripetizione nel tempo o nello spazio: "Abbiamo mangiato il medesimo piatto", "Sono le medesime scarpe dell'altro negozio". In realtà, dunque, se *stesso* si può usare come alternativa a *medesimo* non è altrettanto vero il contrario.

Spesso le tautologie sono incidenti che capitano quando si tende a straparlare, a usare un linguaggio burocratico. Un classico è l'uso di *provvedere a*, verbo praticamente inutile. Nel momento in cui si "provvede a mandare qualcuno", molto più semplicemente lo si manda, an-

che se il sapore è molto meno autoritario e pomposo; se si "provvede a costruire", significa che si costruisce, se si "provvede a indicare", si indica. Una prova facile da sperimentare: provate a immaginare una frase detta in famiglia. Se non vi suona "provvedo a cucinare il pranzo" è perché effettivamente è molto più logico dire cucino.

Della stessa famiglia sono le tautologie generate dai verbi servili: *potere, dovere, volere*. Meno evidenti forse di un cantante che canta o di un guidatore che guida, sono comunque ridicole frasi come "avere l'intenzione di volere", "riuscire a potere" o "essere costretto a dovere", nelle infinite declinazioni "Non è stato in grado di poter fermare" o "Non sono nelle condizioni di poter dire di no". Rimanendo nello stesso ambito, anche "volere consapevolmente" non è un'espressione coerente, visto che la volontà è un atto consapevole.

Ci sono poi i casi in cui la ripetizione non è semantica ma logica. Se diciamo "accorrere sul posto", magari in caso di un incidente, facciamo uno sgarbo all'intelligenza altrui, pensando che qualcuno possa accorrere altrove. Dunque è evidente che l'ambulanza *accorre* sul posto e non a casa del guidatore, dove tutt'al più può *andare*.

Uccisioni

☞ *Suicidarsi* significa uccidere se stesso, proprio come *omicidio* significa uccidere una persona. La scomposizione del vocabolo è utile per cogliere la tautologia insita in frasi come "si è suicidato": *omicidio* sta per *homo* e il suffisso *-cidio*, che indica uccisione dal latino *caedere*, tagliare; *suicidio* sta per *sui*, se stesso, e ancora *-cidio*, uccisione. Dunque "uccisione di se stesso". Scrivere "si è suicidato" equivale pertanto a scrivere "si è ucciso da se stesso". Ma l'uso ormai ha reso inevitabile tale tautologia.

Di seguito sono indicati alcuni esempi di tautologie che sarebbe meglio evitare, anche se molto diffuse:

A norma delle leggi vigenti ➧ ovvio che le leggi sono quelle vigenti.

Destini futuri, prospettive future, previsioni future ➧ tutte le parole indicano già qualcosa proiettato in un tempo che deve venire.

Entro e non oltre ➧ se è entro una tale data è evidente che non si possa andare oltre.

Uscire fuori ➧ impossibile uscire dentro.

Requisiti richiesti ➧ requisito è già qualcosa che si chiede.

Trovati reperti archeologici ➧ un reperto è qualcosa che si reperisce appunto, ovvero si trova.

Una delle due alternative ➧ l'alternativa è sempre una possibilità di scegliere tra due opzioni.

Protagonista principale ➧ non esistono dei "sottoprotagonisti".

In estrema sintesi, riassumere sinteticamente ➡ la sintesi è un riassunto minimo.

Indagine conoscitiva ➡ esistono indagini che non abbiano tale scopo? Sono forse in mala fede?

Vigile attenzione ➡ se non è vigile, non è attenzione.

Breve cenno ➡ un cenno lungo è un ossimoro.

Dapprima comincia, aggiunge poi, proseguire poi, seguono dopo, conclude infine ➡ gli avverbi non fanno che ripetere i concetti già insiti nel verbo.

Un po' acidulo ➡ acidulo è già un diminutivo di acido.

Un'imposizione forzata, imporre senza che loro lo vogliano ➡ ciò che è imposto è sempre una forzatura contro la volontà di chi subisce l'imposizione.

Collaborazione reciproca, scambio vicendevole ➡ entrambi i termini implicano già una relazione biunivoca.

La reciproca stretta di mano ➡ affine alla precedente.

Rivelare per primo ➡ una rivelazione può essere fatta solo da una persona, altrimenti poi è nota e dunque è inutile stabilire una graduatoria.

Subire passivamente ➡ forse un masochista subisce attivamente...

Conviene prima prenotare, prenotare in anticipo ➡ si potrà sottolineare che si è prenotato con molto anticipo, altrimenti il *pre-* indica già qualcosa che avviene *prima*.

Rischio aleatorio, minaccia di un pericolo ➡ il rischio è sempre aleatorio, ovvero rischioso, così come un pericolo contiene già una componente di probabilità o rischio.

Epilogo di fatti antecedenti ➡ l'epilogo è sempre una conclusione.

Quest'oggi ➡ non esiste un "quell'oggi".

Abisso senza fondo ➡ la parola *abisso* indica già qualcosa senza fondo, dal greco *byssos*, fondo del mare, più alfa privativa.

Verso le nove circa, pressapoco intorno alle nove ➡ verso e circa, pressapoco e intorno hanno lo stesso senso.

Improvviso colpo di scena ➡ un colpo di scena può essere definito in senso qualitativo, ma la velocità è già una sua specificità.

Bavose

☞ Si è soliti dire "lumaca senza guscio" per distinguerla dalla bestiola che invece si porta la casa sulle spalle: ma in realtà la lumaca è sempre senza guscio, poiché la parente bavosa dotata di tetto mobile si chiama in realtà *chiocciola*.

Concludendo, la possibilità di commettere una tautologia è molto ampia. Si verifica ogni volta che esageriamo nelle definizioni, ripetendo concetti con parole, intere frasi, brevi locuzioni. La soluzione è, come sempre, una sola: fare attenzione ed evitare le pomposità che più facilmente traggono in errore.

Domande retoriche e DI CORTESIA

Diamo un'occhiata infine agli ultimi strumenti utili per una buona scrittura. Le domande retoriche, caratteristiche del parlato piuttosto che dello scritto, sono in realtà delle false domande. Infatti non rappresentano una vera richiesta di informazione, ma si basano sulla comune conoscenza della risposta per rendere l'affermazione più evidente, per darle maggior forza. "Non è forse vero che siamo amici?" oppure "Possiamo essere certi che domani sarà bel tempo?" sono interrogazioni che

non solo sottintendono la risposta, ma la rendono ancora più inconfutabile. Il rafforzamento deriva dall'evidente conoscenza del fatto a chiunque, tanto da costituire una domanda a cui è impossibile rispondere il contrario di ciò che ci si aspetta.

Le domande di cortesia sono anch'esse interrogazioni particolari: a differenza delle domande retoriche, la risposta si attende, ma non è esattamente quella cui fa riferimento la domanda. Tipiche sono le domande in cui si chiedono informazioni come: "Sa l'ora?" oppure "Sai dove si trova la via tal dei tali?" o ancora "Hai visto i miei occhiali?" o "Mi potresti passare il sale?". A tutte queste domande qualche burlone potrebbe rispondere semplicemente sì o no. In realtà, la risposta che ci aspettiamo è riferita alla domanda sottintesa, che viene così ingentilita.

TERZA PARTE

SIAMO TUTTI SCRITTORI

Mettere IN PRATICA

In un mondo in cui sempre più ci si affida a bit ed elettronica per comunicare, dove ci si vede al telefono e ci si sposta velocemente, lo scritto rimane comunque una necessità. Sono infatti numerose le occasioni quotidiane in cui ci dobbiamo confrontare con la scrittura.

In questa sezione vogliamo suggerire forme di scritti standard, utili per la composizione generale. Innanzitutto le lettere, che fortunatamente non hanno ancora perso il loro fascino. Il fascino del permanente, di ciò che è antico e solido, sentimentale forse, ma nella migliore accezione del termine. Finché le lettere che scriviamo sono familiari, poco importano le convenzioni: ma se dobbiamo scrivere una lettera più formale, è bene saperne organizzare il contenuto come l'aspetto.

E poi un'occhiata agli altri mezzi di comunicazione: la modernità di e-mail e fax non li rende esenti da un certo metodo di impostazione. Infine, comunicazione è anche (se non soprattutto) come ci presentiamo agli altri: e dunque vediamo insieme alcuni suggerimenti su come è meglio organizzare un biglietto da visita, un curriculum e strumenti simili.

Come scrivere LE LETTERE

La forma, in alcuni casi, fa la sostanza. Un foglio spiegazzato, male organizzato anche da un punto di vista grafico o pieno di cancellature non è semplicemente sgradevole a vedersi. Lascia percepire in modo indefinito ma effettivo una mancata attenzione nei confronti di chi legge. Dunque nel momento in cui ci accingiamo a scrivere:

✔ cerchiamo di usare fogli in buone condizioni;

✔ organizziamo il testo ben al centro della pagina, lasciando un margine piuttosto alto sia nella parte superiore che in quella inferiore del foglio e margini leggermente più stretti ai lati;

✔ se ci rendiamo conto di aver commesso degli errori, trascriviamo la lettera su un altro foglio;

✔ sforziamoci di scrivere in modo regolare, senza tracciare righe storte;

✔ usiamo una calligrafia leggibile, tranne lo stampatello, indice quest'ultimo di impersonalità.

È ormai frequente l'uso del computer anche per redigere lettere comuni, fatta eccezione naturalmente per quelle private. Il computer facilita il lavoro, evitando gli "a capo" e consentendo una lettura completa prima della stampa. Ma non fidatevi del correttore linguistico automatico, e ricordate sempre che la gradevolezza dell'impostazione generale della pagina dipende dal vostro occhio.

Se per esempio la lettera si estende su più fogli, fate attenzione che nell'ultimo non rimangano esclusivamente i saluti e la firma o peggio solo quest'ultima, ma cercate di ridistribuire il testo. Allo stesso modo, se si tratta di un solo foglio con poche righe, non le rintuzzate tutte in cima alla pagina. Una buona disposizione delle parole rende più piacevole e più comprensibile la lettura, come insegnano secoli di letteratura.

Data, intestazione, attacco

❶ La data non dovrebbe mai mancare in una lettera, nemmeno in quelle private. Preceduta dal luogo da cui si sta scrivendo, separato da una virgola, giorno e anno sempre in numeri arabi, mentre il mese può essere scritto indifferentemente in tre modi:

✔ in numeri arabi;
✔ in numeri romani;
✔ per esteso.

Se si usano le cifre, giorno mese e anno vanno separati da un trattino breve o una barra, senza lasciare spazi (per esempio: 12.6.2006; 12/06/2006).

La data di solito non va preceduta da *li*, una forma desueta di articolo determinativo che sottintendeva la parola *giorni* e che in alcuni casi viene addirittura accentato, o usato anche per il primo del mese. È preferibile non servirsi di simili forme.

È possibile segnare la data in alto a destra del foglio, prima del testo, così come in basso a sinistra, dopo la firma. Generalmente quest'ultima soluzione è considerata piuttosto professionale, e come tale lasciata alle lettere formali.

❷ L'intestazione varia ovviamente a seconda della persona a cui ci si rivolge. Nei rapporti formali, una formula sempre valida è rappresentata dal classico *egregio*, usato solo al maschile e in situazioni di grande formalità, oppure *gentile*, che si usa anche per il femminile, e che dona una connotazione meno rigorosamente convenzionale: Egregio signor Tale, Gentile signora Talaltra, Gentili signori.

Caro e *cara* si lasciano nei casi di maggiore confidenza. Questo inizio è utile anche quando vogliamo mediare, usando una formula affettuosa pur rivolgendoci a una persona con cui non siamo davvero in confidenza. Dunque andrà bene scrivere: Caro Tizio, Cara Sempronia, ma anche Caro dottore, Cara professoressa.

Lasciamo perdere invece i vari *illustre* e *illustrissimo*, a meno che non realmente necessari, che talvolta possono sembrare piuttosto prese in giro o peggio tentativi mal riusciti alla Totò, così come i vari *distinto*, *pregiato* e *stimato*, che sanno di soffitta.

In ogni caso, dopo il nome e cognome si mette una virgola e si va a capo, dove si comincia in minuscolo il testo della lettera.

❸ L'attacco è molto importante: è una sorta di seconda presentazione, ciò che consente di destare l'attenzione del lettore sul contenuto della lettera. Soprattutto se si tratta di un messaggio tra tanti, riuscire a sintetizzare nella prima frase il nocciolo della questione è fondamentale. Non a caso capita spesso che circolari e note amministrative inizino con uno stratagemma di carattere giornalistico, una sorta di sommario minimo in cui si sintetizza il contenuto della lettera, generalmente preceduta dalla definizione *oggetto*. In una realtà sempre più avara di tempo, la concisione e la capacità di non perdersi in dettagli è fondamentale per essere ascoltati. Dunque, concentrarsi, "prendere bene la mira" e arrivare diretti al punto. I particolari possono seguire.

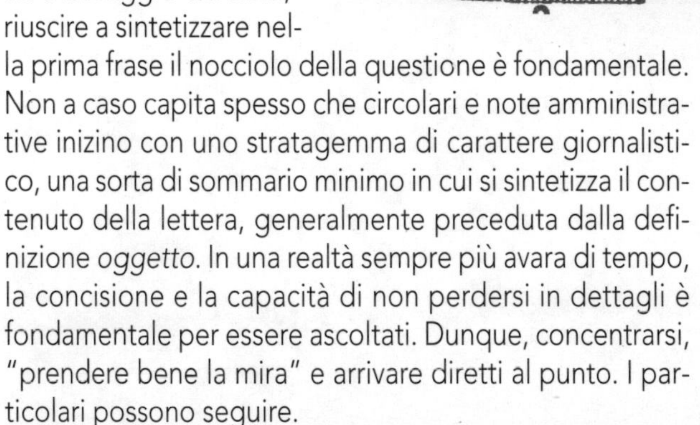

Riguardo allo stile narrativo, il suggerimento migliore rimane sempre lo stesso: bisogna in ogni caso tenere a mente che lo scopo di scrivere non è vantarsi o mostrare particolari abilità, bensì comunicare. E per comunicare bisogna avere chiaro in mente cosa si vuole dire. Quindi prima si pensa, si fa ordine tra le idee, dalla più urgente e importante a quella che lo è meno, e poi si scrive.

Se il messaggio è lungo e i contenuti di varia natura, ci si può aiutare tracciando una scaletta, cioè scrivendo una serie di parole chiave che sottintendono gli argomenti da trattare, così da poter organizzare il discorso in maniera ordinata.

Esempi pratici

Milano, 17 ottobre 2006

Egregi signori,
vi scrivo per chiedere il vostro intervento sulla questione sorta con il collega signor Pallini. È per me di fondamentale importanza sapere quali siano le vostre intenzioni in merito. Pertanto sollecito cortesemente la vostra presenza in sede centrale.
Cordiali saluti

Tizio Caio

Firenze, 17 ottobre 2006

Gentile signora,
il suo precedente messaggio mi ha fatto davvero molto piacere. Mi scuso di non essere riuscita a rispondere prima, ma queste giornate sono scorse più velocemente di quanto volessi. Finalmente però le posso raccontare un po' di come stanno andando le cose da queste parti. [...] Spero che stiate tutti bene anche voi, e mi auguro di avere presto vostre notizie. Con affetto vi abbraccio

Tizia Caia

Roma, 17 ottobre 2006

Oggetto: riunione dei gruppi di lavoro

Cari soci,
in occasione della festa annuale per la raccolta fondi, tutti i gruppi di lavoro dell'associazione sono invitati a partecipare all'assemblea organizzativa di mercoledì prossimo, qui in sede centrale.
Sarà inoltre l'occasione per stilare un bilancio del trimestre trascorso.
Cordiali saluti

Il Presidente Tizio Caio

Un'ultima riflessione riguarda l'uso delle maiuscole reverenziali all'interno della lettera. Si tratta di quelle maiuscole che si utilizzano per marcare il pronomi, anche se sono all'interno di una parola: "Volevamo comunicarLe", "alla Sua attenzione" e così via. Il sapore è un po' antiquato, ma la scelta è libera, ovviamente. L'importante è essere coerenti: se si decide di usare le maiuscole, vanno messe in tutti i pronomi fino alla fine della lettera.

Saluti

Come l'attacco, la conclusione ha un notevole risalto e le ultime parole che si scrivono sono spesso quelle che rimangono in mente. Ecco perché è importante scrivere un saluto cortese ma sobrio, in modo da non oscurare il contenuto della lettera né guastare una composizione ben scritta. Innanzitutto: bisogna scrivere *tuo/tua* – piuttosto che *vostro/vostra* – prima della firma? Dipende da voi. Se l'intenzione è sincera, scrivetelo, altrimenti non è necessario. Va tenuto presente che sicuramente, anche nel caso del *vostro* o del *suo*, il tono è confidenziale e stabilisce un legame affettivo.

Esistono poi formule di saluto più o meno convenzionali che si possono usare: dal classico "distinti saluti", formale e un po' ingessato, ai più amichevoli "cordiali saluti" e "cordialmente", fino ad arrivare agli "abbracci", "a presto", "ti abbraccio con affetto" e simili. "Ossequi" e "con rispetto" li lasciamo al libro *Cuore*, mentre utilizziamo "in fede" solo per le comunicazioni burocratiche, in cui ciò che si scrive deve avere valore di dichiarazione ufficiale. "Tanti saluti" ha più il sapore di una chiosa da cartolina, mentre va assolutamente evitata la locuzione "tante cose" o la sua variante "tante belle cose", povera di stile e senza molto significato.

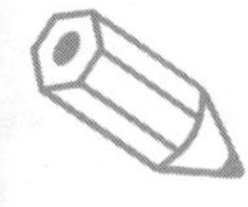

Esempi celebri

☞ Vi abbraccio col cuore. Gaspare Gozzi.

☞ Credetemi sempre il vostro affezionatissimo amico Niccolò Paganini.

☞ Amami, scrivimi e credimi sempre tuo Leopardi.

☞ Suo di cuore Giosue Carducci.

☞ Credimi tuo G. Pascoli.

☞ Ti abbraccio. Gabriele D'Annunzio.

☞ Un bacione. Tuo padre. (Ferdinando Martini).

Firma

Come è stato già detto, il nome non va mai scritto dopo il cognome. Anche in fondo alla lettera va pertanto scritto prima il nome proprio. Il cognome non segue, ov-

viamente, in caso di missiva personale, ma è indispensabile in documenti ufficiali. Dove anzi vanno scritti anche i secondi nomi per esteso. Tantomeno si può firmare con la sola iniziale del nome, "P. Pallini", ma si vergherà "Pinco Pallini".

La firma deve essere leggibile: dunque niente arabeschi o scarabocchi. Anche le dimensioni non devono eccedere: bando alle iniziali filamentose, ai fronzoli finali e alle stravaganti evoluzioni della penna. La dimensione della nostra persona non si misura nello spazio che occupa il nostro nome.

Poscritto e notabene

Il poscritto, dal latino *post scriptum* ovvero "dopo lo scritto", è una formula che si usa quando, dopo aver concluso il testo della lettera, ci si accorge di aver dimenticato una piccola notizia. Dunque è una nota di ridotte dimensioni, che va scritta dopo la firma, preceduta appunto dall'abbreviazione *p.s.* Ne è concessa una sola per missiva, anche se nelle comunicazioni amichevoli, soprattutto tra ragazzi, abbondano i *p.p.s.* e i *p.s. bis*. Vero è che il poscritto sta cadendo in disuso, grazie alla diffusione dei computer che permettono cambiamenti all'ultimo minuto, tagli e inserimenti di testo.

Il notabene, che si sigla con *N.B.*, viene anch'esso apposto a fine missiva, dopo la firma. Non dovrebbe servire a sottolineare un particolare aspetto di quanto già esposto, bensì ad aggiungere una notizia fuori contesto, oppure a raccomandare qualcosa di importante. Motivo per cui nelle lettere ufficiali e a persone di riguardo non va assolutamente utilizzato, per non rischiare di apparire scortesi.

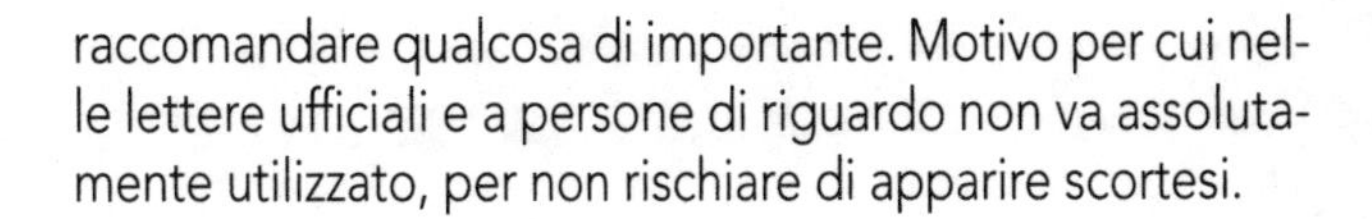

Busta

La busta con cui si invia il messaggio deve essere sempre della stessa carta della lettera; fanno eccezione solo le spedizioni particolarmente voluminose o l'aggiunta nel plico di contenuti delicati.

Lo stesso ordine che è richiesto all'interno, è necessario all'esterno: grafia chiara, righe dritte, posizione corretta delle indicazioni. Che sono, guardando la busta: in alto a destra il francobollo, in basso a destra il nome e l'indirizzo del destinatario, in alto a sinistra (o anche dietro, sulla linguetta che si incolla) il nome e l'indirizzo del mittente.

Ma come scrivere il nome e l'indirizzo? Nel modo più semplice possibile. È bene ricordare che le indicazioni sulla busta sono sostanzialmente uno strumento, e vengono lette dal postino. Dunque il loro compito è far capire chiaramente dove si trova la persona a cui stiamo scrivendo, non snocciolarne le cariche e i titoli. Pertanto rispettiamo alcune regole nella composizione dell'indirizzo:

✔ nome e cognome (e mai il contrario, non ci stancheremo di raccomandarlo);

✔ via (viale, vicolo o piazza che sia) e il numero civico. Se il nome della via prevede anch'esso un numero, va scritto in cifre romane (via Giovanni XXIII n. 2 o via Giovanni XXIII, 2); se ci sono vie omonime, specificare l'iniziale del nome (via Croce e via B. Croce; via O. Limonta e via C. Limonta);

✔ CAP, città e provincia (il CAP va per primo);

✔ nazione, se l'invio è per l'estero. In questo caso in particolare, è necessario sottolineare che lo Stato va scritto

Esempi pratici

❶ Mitt. Nome Cognome
via xxxx n. x
CAP Città

Per Nome Cognome
Via xxxx n. x
CAP Città

❷ Mitt. Nome Cognome
via xxxx
CAP Città
ITALY

Per Nome Cognome
7 Craven rd.
W1K 4EH London
INGHILTERRA

nella lingua del posto di spedizione, mentre la città va segnata nel suo idioma originale, visto che saranno persone straniere a leggere per indirizzare la busta alla città indicata. Anche se le automazioni e i codici di avviamento facilitano le cose, meglio sempre rispettare questa regola.

Sulla riga del nome, si può aggiungere eventualmente il titolo del destinatario. Sempre se necessario, sempre con una certa sobrietà. Se la persona possiede più di un titolo, limitarsi a quello più importante o corrente: inutile scrivere un'infilata di dott. cav. avv. dir. presidente sig. Pinco Pallini.

Se il destinatario è un'azienda piuttosto grande e si vuole specificare o si conosce il nome della persona esatta che deve ricevere il plico o la lettera, sotto la riga del nome, che evidentemente sarà occupata dall'intestazione aziendale, si può aggiungere la sigla *att.ne* – che sta per "all'attenzione di" – seguita dal nome del destinatario "interno", per così dire.

Per chi?

☞ Quando si invia una lettera o una cartolina, capita spesso di vedere sostituita con una *x* la preposizione *per*. Abitudine da dimenticare: almeno nel pensare e nello scrivere a qualcuno, evitiamo la fretta e concediamoci di annotare per esteso tutto il necessario. Inoltre tale sostituzione ha più il sapore di un appunto veloce o di uno scritto sciatto che di un messaggio composto con piacere e attenzione. Quindi: "Per la famiglia Dei Tali".

Gli altri STRUMENTI

Con l'affermazione delle nuove tecnologie per la trasmissione dei dati e con l'accelerazione dei tempi di lavoro, la lettera su carta è limitata piuttosto ai messaggi amichevoli e familiari – anche in questo ambito la posta elettronica sta sicuramente prendendo il sopravvento, ma i vecchi nostalgici amanti dell'inchiostro sono ancora tanti – mentre le comunicazioni professionali sono sempre più spesso legate a fax e computer.

Esistono, è vero, le lettere commerciali o quelle di tipo burocratico amministrativo. Ma è altrettanto vero che l'immediatezza, l'economia e la praticità delle comunicazioni "istantanee", quelle che corrono sul filo del telefono anche se a parole scritte, hanno conquistato un posto privilegiato. Se abbiamo cominciato dalle lettere, comunque, non è solo per rispetto delle gerarchie storiche, ma anche perché l'impostazio-

ne corretta di una vecchia lettera è un sano esercizio anche nell'utilizzo dei nuovi strumenti di comunicazione.

Fax

Si tratta dello strumento che più facilmente si estinguerà tra tutti, eppure ancora per qualche tempo se ne farà uso. Dunque vediamo le corrette regole di utilizzo.

Innanzitutto attenzione a chi riceve il fax: se viene spedito in un'azienda o in una famiglia, è bene specificare chiaramente a chi è destinato, in modo da evitare lunghe giacenze o pellegrinaggi a tappe nei diversi uffici. A tale scopo, merita una particolare menzione l'intestazione: si può scegliere di usare la copertina, in molti casi già preparata, con specificato il mittente, il destinatario del fax e il numero di pagine. Quest'ultimo è decisamente importante: quindi per non avere dubbi meglio scrivere la quantità di fogli che stanno per arrivare specificando l'aggiunta della copertina. Due le formule:

✔ in lettere: "Tre fogli più il presente";

✔ oppure in numeri: "3+1";

in modo da far capire di quante pagine è composto il corpo essenziale del messaggio. Utile anche segnare un numero di telefono per richiamare in caso di ricezione incompleta o poco leggibile.

Se l'invio del fax viene fatto verso un ufficio di poche persone o in situazioni di particolare confidenza, invece della copertina si può annotare in cima l'essenziale, ovvero il numero di pagine e il proprio nome.

Altra regola, scrivere chiaro: nel fax più che in ogni altro mezzo di comunicazione è fondamentale. Si tratta infatti di una fotocopia, anche se a distanza, e come tale più a rischio di non essere chiaramente leggibile rispetto a un originale. Dunque niente scritte a matita o con colori chiari, e in generale meglio evitare il colore, visto che la ricezione è solo in bianco e nero.

Non chiamate immediatamente dopo la spedizione per sapere se il ricevente ha letto il fax: date il tempo al vostro interlocutore di guardare il materiale inviato.

Ricordate che il supporto del fax è pur sempre cartaceo: dunque non inviate troppe pagine, ma una decina di fogli al massimo. Per il resto, esiste la posta.

Infine, non usate il fax per comunicazioni di carattere sociale: inviti a cerimonie, feste, partecipazioni, ringraziamenti esigono specifici biglietti spediti per posta.

Telegrammi

Poco usati dalle nuove generazioni, i telegrammi sono in realtà uno strumento molto utile. Si impiegano per quelle comunicazioni veloci e ufficiali la cui tempestività richiederebbe una telefonata, ma per le quali le parole dette a voce non sono sufficienti; per i messaggi importanti di cui si vuole lasciare traccia, ma che una lettera renderebbe troppo lunghi nei modi e nei tempi. Insomma, il telegramma possiede tutti i crismi dell'ufficialità congiunti a una notevole rapidità di consegna. Il suo uso in realtà si è ormai consolidato per comunicare in occasioni precise: con-

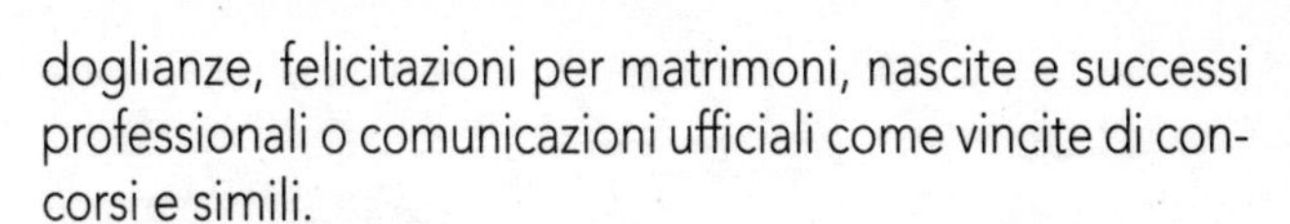

doglianze, felicitazioni per matrimoni, nascite e successi professionali o comunicazioni ufficiali come vincite di concorsi e simili.

Da decenni ormai non è più necessario andare alla posta per prepararne uno, ma è sufficiente chiamare per telefono il numero preposto. Il fatto che si paghi un tanto a parola, indipendentemente dalla lunghezza della stessa, ha fatto sì che si sviluppasse uno strano tipo di linguaggio, il "telegrafese" appunto, che ha eliminato congiunzioni e preposizioni – eccezion fatta per la et (congiunzione latina usata al posto della semplice e per non confonderla con il verbo è, visto che nei telegrammi le parole non sono accentate) – e accorpa i pronomi al verbo: *comunichiamovi*, *invioti* e così via. In realtà tale abitudine non è un obbligo: anzi, cercare di articolare un po' la frase, ingentilirla con le giuste e necessarie parole è un modo carino di mostrare maggiore cortesia, soprattutto se si tratta di un rallegramento.

E-mail

La posta elettronica non ha quasi più bisogno di presentazioni: è ormai entrata prepotentemente nel quotidiano ed è, per molti versi, lo strumento di comunicazione scritta più amato per praticità e convenienza. Consente di mantenere i contatti immediati con tutto il mondo ed è usata indifferentemente sia per comunicazioni professionali che

privare. Se ancora non ha sostituito completamente le lettere ufficiali è solo per una certa diffidenza nei confronti degli impalpabili bit di cui è costituita. La sua relativa giovinezza, unita alla sua provenienza da un paese praticamente privo di convenevoli come gli Stati Uniti, hanno fatto della e-mail una missiva lontana dagli standard tradizionali. Non solo per la composizione, ma anche per i contenuti. Viene prediletto tendenzialmente un linguaggio parlato, immediato, purtroppo non molto curato nello stile e nella forma.

A questo si aggiunge che la velocità degli scambi ha spesso annullato la disposizione abituale con il saluto iniziale e l'andare a capo, e le chiose finali. Tutto questo va più che bene in caso di scambio fitto e rapido: eppure non va dimenticata la buona educazione e la forma, almeno nel primo messaggio.

Cominciare con un saluto, anche senza specificare la data e il luogo – la prima è automaticamente segnata dal computer, il secondo è generalmente noto o altrimenti,

se necessario, viene spiegato all'interno della lettera – è comunque un modo gentile per rivolgersi a chicchessia. Se poi preferite usare lo stile classico piuttosto che scrivere in modo sbrigativo, sceglietelo voi.

Meglio però rispettare alcune norme specifiche:

✔ ricordarsi di segnare l'oggetto: c'è chi riceve davvero un numero esagerato di messaggi, e riuscire a individuare immediatamente i contenuti principali è fondamentale;

✔ non usare a sproposito il segnale di priorità: inutile cercare di far passare come fondamentale una e-mail che può benissimo essere letta con tutta calma. L'unico risultato che si può ottenere è quello di insospettire il ricevente, il quale le volte seguenti potrebbe magari non degnare di attenzione un nostro messaggio davvero urgente;

✔ fate attenzione all'uso delle accentate. Non tutti i sistemi le leggono, pertanto spesso si usa l'apostrofo invece dell'accento;

✔ i messaggi non dovrebbero mai essere troppo lunghi. Nel caso in cui sia inevitabile, andate a capo lasciando una riga vuota quando cambiate argomento, in modo da consentire al lettore di regolarsi su lunghezze e quantità di argomenti;

✔ i programmi di posta consentono di allegare automaticamente al termine del messaggio la propria firma con i dati per essere contattati in altro modo che non sia via computer. Utilizzate tale strumento con intelligenza, con lo stesso spirito di semplicità che suggerisce di evitare un'infilata di titoli e onorificenze.

Sms

Gli *short messages* che si possono inviare con il cellulare sono una grande comodità. Per pochi spiccioli permettono di comunicare ovunque, discretamente e in tempo reale. Purtroppo è soprattutto loro – o meglio della loro necessaria brevità e della poca praticità di digitazione – la colpa di certo imbarbarimento della lingua scritta. Per risparmiare sulle lettere, chi impiega gli sms tende a contrarre il più possibile le parole, producendosi in un curioso idioma più simile a un codice fiscale che all'italiano. Le modifiche riguardano soprattutto:

✔ eliminazione delle sole vocali e/o consonanti;

✔ eliminazione di vocali e consonanti insieme, come per esempio: *comunque* che diventa *cmq*, *questo* è *qs*;

✔ sostituzione di intere sillabe con singole lettere che si leggono allo stesso modo (*x* al posto di *per*, come in *xdono*; *T* maiuscola al posto del pronome *ti*, così che *perderti* diventa *xderT*);

✔ sostituzione del gruppo *ch* con la sola *k*;

✔ impiego di numeri (un classico è il *6* al posto della seconda persona singolare del verbo essere).

Le sostituzioni in corso di utilizzo sono moltissime, apprezzate soprattutto dai più giovani. Non sono così terribili, ma sicuramente vanno limitate alla comprensibilità minima. Anche l'uso di eliminare gli spazi può creare grosse difficoltà di comprensione. Dunque meglio mandare più messaggi ma essere chiari e non essere troppo avari di lettere.

Ricordiamo naturalmente che gli sms sono uno strumento strettamente familiare. Non sono affidabili né utilizzabili per comunicazioni professionali o comunque di una certa importanza.

Chat

Nel comunicare via computer attraverso le chat, cioè siti internet che consentono di scriversi in tempo reale e incontrare persone di tutto il mondo, esiste un vero e proprio codice di scrittura. A essere precisi, questo codice è più ampio e non riguarda semplicemente il modo corretto di scrivere ma in generale quello di comportarsi in simili situazioni. Si chiama Netiquette, ed è ormai noto ai più o facilmente reperibile in rete. Vogliamo qui ricordare solo i punti salienti che riguardano espressamente la scrittura online, quelle piccole ma importanti regole per non sfigurare quando si

accede alla conversazione scritta e per riuscire a esprimersi nel modo migliore possibile.

✔ Quando si invia un messaggio, è bene cercare sempre di essere sintetici e diretti nel centrare la questione che volete esporre. Regola valida sempre, ma soprattutto in internet, il regno della rapidità;

✔ se il messaggio supera le cento righe, meglio segnalarlo nell'oggetto (*subject*), scrivendoci *lungo*;

✔ è assolutamente vietato esprimersi in modo volgare;

✔ quando si manda un messaggio, specificare sempre, in modo breve e significativo, l'oggetto del testo. Ciò vale soprattutto per i gruppi più affollati in cui vengono scambiati centinaia o migliaia di messaggi al giorno. Questo consente a chi partecipa di capire immediatamente se il messaggio può interessare o meno;

✔ non divagare rispetto all'argomento del newsgroup o della lista di distribuzione. Le persone che vi partecipano sono appassionate di quello specifico tema, e non di altri;

✔ se si risponde a un messaggio, non va riportato l'intero originale ma va "quotato" ovvero ne vanno stralciati solo i passaggi rilevanti a cui si intende rispondere;

✔ attenzione all'ironia: senza il supporto dell'espressione vocale è facile fraintendersi, specie tra sconosciuti. Così una battuta può essere interpretata come un'offesa. Semmai, le battute di spirito vanno accompagnate da un *emoticon*, cioè una di quelle faccine ottenute dalla punteggiatura, che consentono di intuire il tono con cui è scritta una frase;

✔ anche qui, ricordiamo che scrivere in maiuscolo equivale ad alzare il tono di voce, dunque non fatelo;

✔ per sottolineare un concetto o una parola si usa racchiudere il termine tra asterischi;

✔ i titoli di libri e film vanno posti tra lineette basse (per esempio: _Harry Potter e la camera dei segreti_);

✔ la firma in fondo al messaggio deve essere breve e sintetica. Evitate la lista di titoli e definizioni, che in internet non hanno davvero valore. Spesso anzi, le persone che partecipano a discussioni online usano pseudonimi (*nickname*). Ricordatevi però di firmare sempre: in tanti partecipano e non dovete dare per scontato di essere riconosciuti, anche durante una serrata conversazione.

Annunci

Se è sempre importante essere chiari e sintetici nello scrivere, questa regola è ancor più valida quando si prepara un annuncio da pubblicare. Che si tratti di condoglianze ufficiali o di una vendita di oggetti, di annunci che si pagano un tanto a vocabolo o gratuiti, bisogna saper condensare il concetto che si vuole esprimere in poche righe, senza troppi fronzoli né giri di parole.

Innanzitutto avere ben chiaro il concetto di cosa si vuole esprimere; dimenticare le frasi fatte e gli annunci scritti da altri. Ognuno ha un suo stile e generalmente copiare significa snaturare le proprie inclinazioni.

Molti annunci economici riportano all'inizio AAA. Questo perché in alcune pubblicazioni gli annunci sono stam-

pati in ordine alfabetico: la tripla A assicura un'ottima posizione, all'inizio della lista, dove ancora l'attenzione di chi legge è vigile e la precedenza su annunci simili è garantita. In realtà l'*escamotage* sta cadendo in disuso, anche perché sempre più giornali pubblicano gli annunci nell'ordine in cui li ricevono.

✔ Se volete far pubblicare un necrologio, usate nome e cognome della persona che è mancata, senza soprannomi, titoli od onorificenze; se i funerali sono pubblici, indicate chiaramente luogo, data e ora della celebrazione;

✔ se si tratta di un annuncio di condoglianze, siate chiari e assicuratevi che i nomi che usate, soprattutto in caso di nomignoli, siano noti alle persone con le quali volete condolervi. In generale però, cercate in queste occasioni di preferire la sobrietà anche nel nome, e di aggiungere il cognome;

✔ se si tratta invece di un annuncio economico o professionale, segnalate sempre in fondo nome, cognome e numero di telefono; se pensate di non essere sempre disponibili, indicate le ore in cui è meglio contattarvi.

Lettere commerciali

Le regole sono fondamentalmente le stesse che valgono per le lettere private. In questi casi però la coerenza e la concisione si rendono ancora più urgenti. Basti immaginare un qualunque ufficio di oggi, afflitto da tempi sempre più ridotti e incombenze inversamente proporzionali. Dunque poche parole, dirette, senza frasi ossequiose o inutili, saranno apprezzate da chi ha il compito di occuparsi della posta. Inoltre, ecco alcune regole specifiche per lettere commerciali o burocratiche:

✔ sempre meglio usare degli strumenti meccanici (computer, macchina per scrivere), in modo da facilitare la lettura;

✔ l'intestazione e l'indirizzo vanno ripetuti per esteso, così come appaiono sulla busta, sotto la data o nel lato opposto del foglio rispetto alla data;

✔ se la missiva è indirizzata a un'azienda in generale, senza distinzione di persona, si usa *spettabile* (seguito dal nome dell'azienda, oppure anche "spettabili signori");

✔ *cordiali saluti* e *cordialmente* sono formule universalmente accettate nella chiosa di lettere professionali;

✔ è bene infine stampare direttamente anche il nome e cognome con cui si firma, per essere davvero chiari. Sotto o sopra si potrà poi aggiungere la firma a penna;

✔ è bene segnare sempre un vostro recapito preciso (indirizzo, numero di telefono e/o indirizzo di posta elettronica) anche in fondo alla lettera, nel caso la busta andasse perduta.

Strumenti di PRESENTAZIONE

In questa parte ci occuperemo di quei mezzi di comunicazione che usiamo per proporci agli altri tendenzialmente in ambito professionale, ma anche privatamente, fatta eccezione dei familiari e degli amici. Se infatti il curriculum è uno strumento eminentemente lavorativo, carta da lettera intestata e targhe sono utilizzate anche in ambito privato. Vediamo insieme cosa scrivere per risultare efficaci senza sembrare pretenziosi.

Curriculum vitae

Non vogliamo qui trattare di come trovare lavoro grazie al curriculum. Esiste inoltre una discreta letteratura che suggerisce diversi "stratagemmi" utili per tentare di fare colpo tra i numerosi pretendenti a un posto. Di seguito vogliamo molto più semplicemente dare alcune indicazioni immediate su come organizzare coerentemente un curriculum, quali informazioni scrivere per offrire un quadro ab-

bastanza chiaro di sé. Ognuno decida poi come personalizzare le informazioni, tenendo sempre presente che ogni scelta comporta un carico di indicazioni sulla propria personalità. Utilizzare carta colorata, preintestata, caratteri speciali, fotografie o disegni è un modo di distinguersi e anche di esprimersi. Se quindi per un ruolo di grafico o di pubblicitario una presentazione creativa può essere particolarmente utile, forse non lo è altrettanto in caso si stia facendo domanda per un posto di archivista, in cui metodo e rigore sono più importanti.

Un buon curriculum deve fornire necessariamente queste informazioni:

✔ chi siete;

✔ quali studi avete compiuto e quali abilità specifiche potete offrire;

✔ cosa fate attualmente;

✔ quali esperienze lavorative avete avuto in passato, dove e quando.

Meglio usare un andamento schematico, chiaro, che consenta di individuare a colpo d'occhio gli argomenti (dati personali, studi, attività professionali), seguendo un ordine cronologico nell'esposizione dei fatti. Tale ordine può essere anche inverso, partendo dalla vostra condizione attuale e risalendo via via fino al primo impiego ricoperto.

Esponete chiaramente il ruolo che avete ricoperto ma senza indugiare troppo nei dettagli, indicate il luogo e l'azienda presso cui avete lavorato e il periodo in cui ci siete stati. Se il vostro curriculum è molto ricco, sfrondatelo

debitamente delle attività meno importanti o di cui vi siete occupati per breve tempo.

Parlate sempre in terza persona, mai in prima, meglio ancora se riuscite a mantenere l'esposizione in modo schematico, senza indicare una persona specifica, cosa che conferisce al curriculum un'impressione di maggiore oggettività.

Quando segnalate la vostra conoscenza delle lingue straniere, specificate sempre il grado di padronanza scritta e parlata, e se apprese grazie a un corso o per altra via, magari una residenza prolungata all'estero.

Indicate anche le vostre competenze informatiche, specificando la piattaforma di lavoro (Microsoft o Macintosh) e i programmi con i quali avete dimestichezza.

Infine le informazioni personali. Segnate sobriamente qualche vostra caratteristica, le preferenze nel tempo libero, soprattutto tenendo presente il vostro scopo. Se per esempio state facendo domanda per un impiego in una azienda che si occupa di sport, sottolineare il vostro lato atletico può essere un vantaggio da non sottovalutare. Anche qui, però, indicate gli sport che praticate, non le coppe e le medaglie collezionate. Fornirete così un dato utile senza passare per vanagloriosi.

Se state compilando per la prima volta il vostro curriculum, ricordatevi di segnare l'istituto o l'università presso i quali avete conseguito il diploma, specificando il titolo del vostro lavoro conclusivo e il nome del professore che vi ha seguito come relatore.

Glissate sul voto se non è particolarmente brillante; segnate piuttosto accuratamente eventuali master e specializzazioni. Inoltre non scoraggiatevi per la mancanza di esperienza, e non dimenticate di scrivere anche i piccoli lavori che avete svolto da studenti. Non vanno sottovalutati: sono utili per dimostrare impegno e capacità anche al di fuori dello specifico ambito professionale.

Esempi pratici

Nome Cognome
via xxx
Cap Città
tel. xxx
e-mail xxx

PERSONALI

Nato a xxx il xxx
Celibe

TITOLI DI STUDIO

2005 Diploma universitario di educazione fisica presso l'Università xxx di xxx. Votazione xx/110, con tesi dal titolo xxx, relatore prof. xxx.
2002 Maturità scientifica presso il liceo xxx, votazione xxx/100.

ESPERIENZE LAVORATIVE

Dal marzo al giugno 2005: supplente di educazione fisica

presso il liceo linguistico parificato xxx di xxx.
Estate 2003 e 2004: educatore presso i centri estivi del comune di xxx, scuola elementare di via xxx.
Dal settembre 2002 al settembre 2004: consulente per la rivista sportiva mensile “xxx”, xxx Editore.
Dal 2000 al 2003: allenatore della sezione juniores di basket del circolo xxx.

ALTRE INFORMAZIONI

Padronanza di Office e di diversi programmi di impaginazione in ambiente Windows.
Ottima conoscenza della lingua inglese; spagnolo buono.
Hobby: nuoto, basket, calcio, surf, disegno.

Nome Cognome
via xxx
Cap Città
tel. xxx
e-mail xxx

PERSONALI

Nata a xxx il xxx
Coniugata

TITOLI DI STUDIO

2003 Laurea in Ingegneria gestionale presso l'Università xxx di xxx. Votazione xx/110 e lode, con tesi dal titolo xxx, relatore prof. xxx
1995 Maturità classica presso il liceo xxx, votazione xx/60.

ESPERIENZE LAVORATIVE

Novembre 2004 - oggi: responsabile settore postproduzione nell'azienda xxx.
Settembre 2003 - ottobre 2004: coordinatrice area developing new markets nell'azienda xxx.
Marzo 2003 - ottobre 2004: internship presso l'azienda di supervisoring engeneering xxx di xxx.

ALTRE INFORMAZIONI

Padronanza dei principali software gestionali in ambiente Windows e di Office. Conoscenza dei principali programmi in ambiente Macintosh.
Ottima conoscenza della lingua francese e inglese.

Biglietti da visita

Il biglietto da visita è uno strumento di lavoro importante per i professionisti che hanno necessità di lasciare un loro recapito. Ne esistono di vario tipo, ma come sempre i più sobri sono i migliori. Devono contenere ovviamente nome e cognome, scritti sempre per esteso e in quest'ordine, accompagnati in questo caso dal titolo professionale e dal ruolo ricoperto, oltre all'indirizzo postale, quello di posta elettronica e i numeri di telefono a cui è possibile essere contattati per motivi di lavoro. È comune l'uso di aggiungere il simbolo o il logo dell'azienda per cui si lavora, oppure una decorazione simbolica (per esempio una matita per un grafico, un computer per un programmatore). L'importante è che il biglietto assolva alla sua funzione primaria, e dunque che sia chiaramente leggibile e si distinguano facilmente le sue parti.

Che cartoncino

☞ L'origine del biglietto da visita è francese, e affonda le sue radici nel lontano Seicento. Pare infatti che i primi apparvero sotto il regno del Re Sole Luigi XIV e fossero cartoncini finemente decorati dai migliori pittori dell'epoca.

Altrettanto efficace è anche il biglietto da visita per i privati. Comodo in caso di rapido scambio di indirizzi, è usato anche come bigliettino di accompagnamento in caso di invio di regali in situazioni formali, o per lasciare un rapido messaggio a qualcuno. Quando però non costituisce

uno strumento di lavoro, l'ideale è scrivere esclusivamente il proprio nome e cognome, senza titoli o cariche; il numero di telefono dovrebbe essere quello privato.

Se il biglietto è di una signora coniugata che ci tiene a riportare oltre al proprio anche il cognome del marito, quest'ultimo deve seguire e non precedere quello da nubile. Se i coniugi decidono di stampare un biglietto in comune, il nome del marito deve comparire per primo, quindi quello della moglie seguito dal solo cognome del marito.

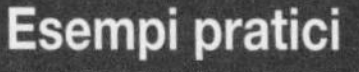

Esempi pratici

Ing. Nome Cognome
Responsabile area informatica
Gruppo Periodici Riuniti
via xxx, città
tel. xxx
fax xxx
e-mail xxx

Avv. Nome Cognome
viale xxx, città
tel. xxx
cell. xxx
e-mail xxx

Carta intestata

Sempre meno in uso tra i privati, indispensabile e ormai comune a tutti sul posto di lavoro, anche la carta intestata va utilizzata con un po' di accortezza e buon senso.

❶ Innanzitutto, se è stampata per uso professionale deve portare il logo aziendale seguito dai recapiti generali (indirizzo, telefono del centralino, eventuale indirizzo internet), a cui molti aggiungono partita iva e sede legale. Tali informazioni possono trovare posto indifferentemente in alto a destra così come in fondo al foglio, come nota a margine.

❷ Se si tratta invece di carta da lettera privata, può riportare il nome e cognome (meglio delle sole iniziali) del proprietario, e nulla più. La corrispondenza privata non necessita infatti di fregi, onorificenze e indirizzi, tanto meno di codici fiscali e simili informazioni.

Infine, se la scelta del colore e di eventuali decorazioni non è di stretta pertinenza di questo manuale, si ricorda comunque di fare attenzione alla leggibilità. Dunque la soluzione migliore rimane inchiostro scuro su carta bianca, o comunque chiara, senza caratteri troppo complicati o intestazioni eccessivamente elaborate.

Targhette

Anche in questo caso, la distinzione tra abitazione privata e ufficio è d'obbligo: se nel secondo caso la targhetta può costituire un'utile indicazione, soprattutto in caso di una professione che prevede uno stretto e frequente contatto con numerosi clienti (medico, avvocato, sarta, psicologa ecc.), se si tratta della targa da apporre fuori dalla porta di casa la sobrietà è d'obbligo.

Come sempre nel privato, niente titoli o lungaggini che specifichino altro che non sia il nome e il cognome. Nel caso di una coabitazione, meglio limitarsi ai cognomi, nell'ordine preferito.

Le targhe professionali possono essere di vario genere, dal tradizionale lucido ottone inciso alle più moderne indicazioni in plexiglass. L'opportunità della scelta varia a seconda del tipo di clientela prevista. Sempre comunque valida la regola della chiarezza e della sobrietà.

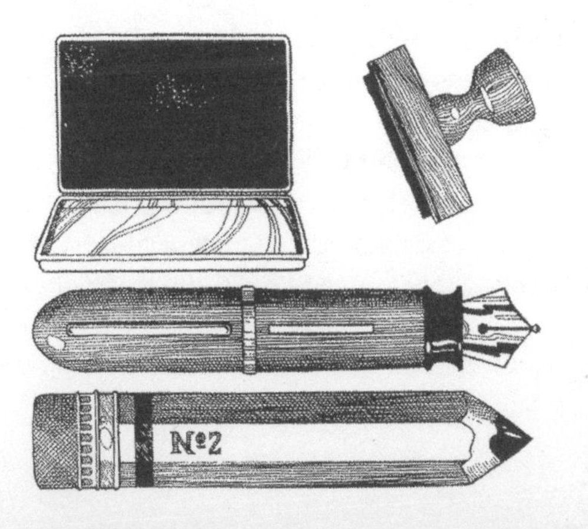

Comunicazioni FORMALI

Si presentano diverse circostanze in cui è necessario scrivere, poche righe oppure un biglietto più lungo, per comunicare con persone con le quali non siamo particolarmente in confidenza. In questi casi l'imbarazzo e la poca pratica possono mettere un po' in crisi, sia sui contenuti che sullo stile. Cosa scrivere? In che modo? Con che forma? Vediamo di seguito allora come trovare le parole migliori per ringraziare, invitare o fare auguri riuscendo a essere efficaci e cortesi.

Ringraziamenti

I ringraziamenti scritti non sono poi così frequenti. Si ringrazia per i regali ricevuti in occasione del proprio matrimonio, oppure il giorno dopo una cena particolarmente gradevole, accompagnando il biglietto con un mazzo di fiori o una pianta. Ancora, si ringrazia dopo essere tornati a casa da un periodo di soggiorno in casa altrui, per ribadire l'apprezzamento per l'ospitalità. Sempre, ovviamente, nel caso in cui il rapporto non sia strettamente amichevole, ma leggermente formale, o nel caso in cui si sia stati invitati per la prima volta.

Si tratta di mandare un biglietto rigorosamente vergato a mano, con poche righe sentite: "Grazie della squisita ospitalità", "Grazie della bella serata", "Grazie della piacevole compagnia", e così via. A volte è sufficiente mandare un biglietto da visita firmato, soprattutto nel caso in cui accompagni un piccolo regalo. Nel caso di ringraziamenti per regali di nozze, il biglietto può portare stampati i nomi dei coniugi, a cui gli sposi apporranno una breve frase: "Grazie di cuore" o "Grazie per il bellissimo regalo", o ancora, semplicemente, "Grazie". Fondamentale, in ogni caso, è la tempestività con cui si invia il messaggio, rigorosamente il giorno seguente l'evento nel caso di inviti a cena o di permanenze, appena di ritorno dal viaggio di nozze se si tratta di ringraziare per i regali di matrimonio.

Auguri

Sono moltissimi i casi in cui si fanno gli auguri. Verbalmente ci si scambia parole di felici avvenimenti nelle più svariate occasioni, da appuntamenti sportivi a fondamentali incontri professionali. Nonostante i tempi incalzanti, anche gli auguri scritti mantengono la loro importanza e diffusione, anche se sempre più spesso scambiati elettronicamente o via sms anziché con carta e penna. Inutile dire che però questi ultimi rimangono i più piacevoli da ricevere, anche perché più duraturi. Un biglietto scritto a mano e ricevuto per posta normale è sicuramente frutto di un maggiore impegno, e quindi sintomo di maggiore attenzione, che una veloce e-mail uguale per tutti, e come ta-

le certo più apprezzabile di un messaggio standard. In alcuni casi poi, il biglietto scritto a mano è sicuramente d'obbligo, insostituibile da un messaggio elettronico o simile.

Anche in questo caso, poche regole ma rigorose: se acquistate un biglietto decorato, non accontentatevi della scritta prestampata, per quanto divertente e originale possa essere. Meglio allora i biglietti colorati ma senza scritte all'interno, dove invece potrete sbizzarrirvi voi con frasi personali.

Seconda regola, non usate stereotipi e frasi fatte: "auguroni" e "bacioni", "lieti eventi", "carriere brillanti" e frasi simili sono già troppo sentite. Inoltre, usate la vostra lingua, evitando di ricorrere ai vari "Merry Christmas" o "Happy birthday" se il destinatario non è straniero.

Se inviate un biglietto d'auguri per un matrimonio, il contenuto e la lunghezza ovviamente variano un po' se si tratta di amici stretti piuttosto che conoscenti. Nel primo caso si suppone non abbiate bisogno di esempi, nel secondo si può passare da un sobrio "Siate felici" a un "Vi auguriamo un lungo e felice futuro insieme" a "Auguri affettuosi di grande felicità".

Gli anniversari sono generalmente festeggiati da amici intimi e parenti; nel caso di festeggiamenti allargati, soli-

tamente per ricorrenze particolari – dieci, venti, venticinque e oltre – un biglietto di auguri esprime felicitazioni e congratulazioni per il "successo" sentimentale e l'augurio di una lunga prosecuzione sulla medesima strada. Dunque qualche esempio può essere "Continuate così", oppure "Siamo felici con voi" e ancora "Con l'augurio di tanti altri anniversari".

Quando nasce un bimbo gli auguri e la gioia vengono spontanei. Non dimenticate mai di metterli per scritto, accompagnando con un biglietto l'eventuale regalo che portate quando vi recate dalla mamma a fare visita, o anche con un semplice invio postale per rallegrarvi dell'evento con i genitori. Saranno un ricordo piacevole per i genitori e per il piccolo, una volta cresciuto. Un bel "Benvenuto", un classico "Auguri al piccolo, con tanto affetto", alle varianti "Benarrivato" e "Congratulazioni alla nuova famiglia", le parole sono piuttosto semplici da trovare.

Anche i compleanni sono un'occasione tutto sommato familiare. Nel caso di auguri più formali, a volte ci si può trovare in difficoltà. I sentimenti ambivalenti che alcune persone provano per il proprio giorno di nascita, una ricorrenza che inevitabilmente riporta allo scorrere del tempo, possono rendere difficile agli altri comunicare. Per non sbagliare, le formule possono variare da un sobrio, immediato e sempre efficace "Buon compleanno" – sembrerebbe ovvio, eppure a volte nello sforzo di essere originali si evita l'espressione più elegante e adatta – a "Auguri di cuore" oppure "Solo un pensiero". Evitate frasi ecces-

sive o troppo scherzose, da limitare a persone con le quali si è in confidenza.

Dopo il compleanno, l'onomastico è una ricorrenza personale che può valere un messaggio scritto, nonostante l'abitudine a festeggiare queste date si stia un po' perdendo. Dunque, come per il compleanno un semplice "Buon onomastico" vale quanto "Auguri per festeggiare san (o santa) ...".

Se gli scatti professionali solitamente si festeggiano in modo discreto, il raggiungimento di un titolo di studio superiore (una laurea o un diploma affine) è occasione di regalo o quantomeno di congratulazioni scritte. "Congratulazioni per il tuo successo" o "Complimenti" piuttosto che "Il tuo impegno è stato premiato, rallegramenti" sono formule utilizzabili comodamente.

Infine le ricorrenze religiose e tradizionali: Natale, Pasqua, capodanno. Si possono risolvere con un generico augurio di "Buone feste", oppure declinarlo in specifici "Auguri a tutta la vostra famiglia per un nuovo anno ricco di promesse e felicità", "Felice Natale al caldo della famiglia", "Vi auguriamo di trascorrere una Pasqua serena e allegra" e così via.

Inviti

Gli inviti scritti sono una buona abitudine, da non sostituire tanto facilmente con moderni sistemi come posta elettronica e messaggini. Negli avvenimenti ufficiali o anche in occasione di cocktail o feste con oltre venti perso-

ne, è buona abitudine scrivere o stampare gli inviti, in modo da assicurare a tutti le corrette informazioni. Motivo per cui il testo deve essere essenziale e contenere innanzitutto le informazioni pratiche per far arrivare le persone al momento giusto nel posto giusto. Dunque vanno scritti accuratamente giorno, ora e luogo dell'appuntamento, oltre a un numero di telefono per eventuali precisazioni e per avvertire in caso di problemi. È possibile aggiungere la formula R.S.V.P., che sta per *Répondez s'il vous plaît*, con la quale si specifica che è richiesta una risposta, positiva o negativa che sia, all'invito.

Se si tratta di un evento in cui l'abbigliamento deve essere particolare, è bene specificarlo sul biglietto d'invito. Esistono apposite formule, per questo: scrivere *Cravatta nera* significa richiedere che gli uomini indossino lo smoking e le signore un abito da sera; *Cravatta bianca* indica che è necessario il frac per lui e un abito da gran sera per lei. Utile anche, ovviamente, specificare il tipo di appuntamento per consentire agli invitati di scegliere il giusto tono nel vestire: se si tratta di un cocktail, di una cena, di una festa di laurea o di un compleanno.

Un invito per una festa di bambini ha bisogno di un doppio codice: deve essere allegro e accattivante per i picco-

li e contenere tutte le informazioni utili per i genitori. Per cui sarà specificato, anche se in modo spiritoso, se sono previsti la merenda o il pranzo, se i genitori si devono fermare oppure l'ora da cui possono passare a riprendere i figli, oltreché se si tratta di un compleanno, di una normale festicciola o altro.

Infine, se fate stampare i biglietti d'invito, ricordate che una notevole finezza consiste nel lasciare comunque lo spazio per il nome dell'invitato da aggiungere a mano.

Partecipazioni

Non parleremo qui dello stile da usare per le partecipazioni di nozze, dei colori e dei disegni, del tenore della comunicazione. Auspicando sempre un notevole grado di sobrietà ed eleganza, ci atterremo a spiegare quali sono le regole di disposizione e contenuti del biglietto d'invito. In questa occasione è infatti necessario rispettare alcune regole precise.

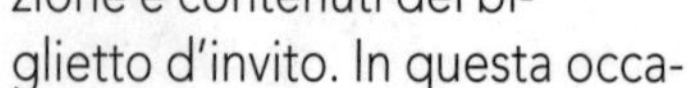

Il biglietto prevede il nome dello sposo in alto a sinistra, della sposa in alto a destra, al centro i dettagli della ceri-

monia con luogo, data e ora, e in basso a sinistra (cioè sotto il rispettivo nome) l'indirizzo dello sposo, a destra della sposa. A questa distribuzione standard si possono aggiungere alcune indicazioni supplementari, come per esempio i nomi dei genitori degli sposi – a meno che i due abbiano superato i trenta, siano decisamente indipendenti dalle famiglie o si tratti di seconde nozze – o l'indirizzo comune dei coniugi dopo il matrimonio.

Se il matrimonio avviene dopo un periodo di convivenza, si può scrivere direttamente solo l'indirizzo comune. Tale indicazione è infatti utile per far recapitare i doni di nozze, spedire auguri o telegrammi di congratulazioni, dunque è inutile aggiungerne troppi.

Al biglietto di partecipazione di nozze generalmente viene unito un cartoncino di formato ridotto da destinarsi unicamente agli invitati al rinfresco o al pranzo di nozze. In esso saranno contenute le indicazioni necessarie per raggiungere all'ora indicata il luogo del ricevimento.

Soprattutto in questi casi, è diffusa l'abitudine di richiedere una conferma da parte degli invitati con la classica formula R.S.V.P.

In alcuni casi, specialmente se gli sposi preferiscono una cerimonia molto ristretta, si dà notizia del matrimonio una volta avvenuto. I cartoncini riporteranno allora molto semplicemente i nomi e cognomi degli sposi seguiti dall'annuncio della avvenuta celebrazione delle nozze, con il luogo e la data dell'evento. Infine, sulla busta l'indirizzo va sempre scritto a mano.

Esempi pratici

1

Giovanni e Maria Rossi	Ugo e Alda Verdi
partecipano il matrimonio della figlia Rosa	partecipano il matrimonio del figlio Paolo
con Paolo Verdi	con Rosa Rossi

giorno (in lettere) data (giorno, mese, anno), ore xx
Pieve di xxx (o altro luogo)
città

via xxx	via xxx
città	città

via xxx
città

CARTONCINO

Paolo e Rosa vi aspettano dopo la cerimonia al ristorante xxx di xxx
R.S.V.P.

Esempi pratici

Nome dello sposo Nome della sposa

annunciano il loro matrimonio
Città, chiesa di xxx (o altro luogo)
giorno (in lettere) data (giorno, mese, anno)

via xxxx
città

CARTONCINO
xxx e xxx saluteranno amici e parenti a xxx, xxx

Condoglianze

Nelle occasioni tristi, trovare le parole giuste può essere più difficile che in altri casi. Eppure è importante testimoniare la propria solidarietà per scritto. Per riuscire a essere autenticamente cortesi senza rischiare pedanterie o peggio insensibili, basta tenere presente alcune buone regole. Innanzitutto non usare i biglietti da visita ma preferire sempre un cartoncino neutro. Poi evitare di scrivere la parola condoglianze, soprattutto con aggettivi decisamente fuori luogo come "vivissime". Meglio usare un tono sobrio come "Ti sono vicino" o "Partecipo al tuo dolore";

se si è più in confidenza, si può pensare di scrivere qualche riga in più ricordando con stima e affetto chi non c'è più, ma sempre senza indugiare in eccessi celebrativi ed enfatici. Allo stesso modo, le risposte saranno asciutte e semplici: "Grazie per esserci stati vicini" o "Grazie per il vostro affetto" sono più che sufficienti.

Scuse

Generalmente ci si scusa per telefono o a voce, per i più disparati motivi. Può capitare però il caso in cui sia preferibile, se non addirittura inevitabile, scusarsi per scritto. Per esempio, se si abita in un condominio e si hanno in programma lavori straordinari, è necessario apporre un foglio in un punto visibile a tutti per avvisare del disturbo; se si ha intenzione di dare una festa particolarmente numerosa, è cosa carina avvisare il vicino di casa con un biglietto di scuse per l'eventuale rumore (o se si è in ottimi rapporti, magari invitarlo...).

Se non si può intervenire a un evento ufficiale, a un ricevimento o a un cocktail formale, è bene inviare un biglietto per avvisare che non si potrà intervenire. Come sempre, la formula più chiara e diretta è la migliore: senza troppe cerimonie si riesce a essere più gentili e autentici. Cosa da non sottovalutare: la parola scusa, del resto, ha un risvolto negativo derivato, ovvero quello di trovare un pretesto per eludere qualcosa che non piace. Dunque se declinate un invito cercate di farlo nel modo più cortese possibile, evitando toni falsi che possono essere fraintesi.

Utile infine è anche scusarsi in seguito a un'assenza, magari per un improvviso impegno o un malessere che vi ha impedito di partecipare senza poter avvisare in anticipo.

Ovviamente i biglietti di scuse vanno scritti a mano se sono indirizzati a una sola persona, mentre si possono scrivere al computer nel caso di scuse destinate a più persone contemporaneamente.

Reclami

Sfortunatamente capita a tutti di doversi lamentare per qualche disservizio o perché i propri diritti non sono stati rispettati. Ma mettere per scritto le proprie pur legittime rimostranze, se non addirittura farsi risarcire, non è sempre facile. Individuare le parole corrette e trovare la forma migliore per farsi ascoltare sembra un'impresa disperata al punto che spesso si lascia perdere. Di seguito vi proponiamo alcuni suggerimenti utili e qualche modello di lettera cui rifarsi nella malaugurata occasione in cui dobbiate scrivere una lettera di protesta.

Si comincia scrivendo in alto a destra il nome del destinatario con l'indirizzo completo; visto che si tratta di una comunicazione di protesta, meglio soprassedere sui vari *spettabili* ed *egregi*.

Se ci si rivolge a un'impresa con cui si ha un contratto o una relazione commerciale avviata, è meglio cominciare specificando l'oggetto della comunicazione: quindi a sinistra si scrive *Oggetto:* e si specifica in una frase il contenuto della missiva. Se invece si tratta di una protesta oc-

casionale, non è necessario usare questa formula e si può passare direttamente a esporre il problema.

Nel descrivere la questione, è meglio cercare di essere diretti ed evitare commenti personali: dunque bando ai vari "il vostro inqualificabile comportamento" o "è vergognoso l'atteggiamento tenuto dal vostro impiegato" o ancora "sono allibito per il vergognoso trattamento ricevuto". Molto meglio esporre in modo sintetico e chiaro i problemi riscontrati. Spiegare quando, dove e con quale persona si è verificato il problema e concludere scrivendo quale provvedimento riparatore ci si aspetta.

Se state facendo riferimento a qualche documento di cui siete in possesso, segnate accuratamente il numero di codice di riferimento (bollette sbagliate, versamenti non arrivati, oggetti difettosi e così via) o il vostro personale codice cliente, in modo da rendere le ricerche di verifica più rapide.

Esigete almeno una risposta. Non perdetevi in vaghe minacce o invettive, ma spiegate che se non sarete soddisfatti vi rivolgerete, se necessario, a un legale o a un'associazione per la difesa dei diritti dei consumatori.

Non dimenticate di apporre dopo la firma le indicazioni per essere rintracciati: numero di telefono, indirizzo, eventuali fax e indirizzo di posta elettronica.

Esempi pratici

Compagnia Telefonica
Ufficio Clienti
via xxx
Cap Città

OGGETTO: bolletta sbagliata

In data xxx ho ricevuto una vostra bolletta del telefono – n. xxxx – decisamente troppo alta. Il vostro impiegato, per telefono, mi ha spiegato che qualcuno si deve essere collegato abusivamente alla mia linea telefonica, per cui risultano a mio carico anche le sue telefonate. Mi rifiuto di pagare in anticipo ed essere rimborsata da voi in seguito come mi ha suggerito il vostro consulente per telefono. Fatemi avere l'importo corretto del mio consumo e a quello farò riferimento per il pagamento.
In caso contrario sarò costretta a sporgere denuncia all'associazione dei consumatori e al tribunale corrispondente.
Cordiali saluti

Nome Cognome
codice cliente xxxxx
via xxx
Cap Città

ditta xxx
viale xxx
Cap Città

Ieri, 18 maggio 2006 il vostro dipendente signor Talaltro, matricola numero 2000, è venuto per aggiustare il mio frigorifero, acquistato da voi meno di un anno fa. Pur essendo dunque l'oggetto ancora in garanzia, il vostro impiegato mi ha richiesto di essere pagato per l'intervento. L'associazione dei consumatori a cui mi sono rivolta in seguito mi ha confermato che invece non avrei dovuto pagare. Pertanto aspetto da voi un risarcimento della somma. Allego la fotocopia della ricevuta rilasciatami dal signor Talaltro.
Rimango in attesa di una vostra sollecita risposta,
Cordiali saluti

Nome Cognome
via xxx
Cap Città
tel. xxx

QUARTA PARTE

PARLARE SENZA ERRORI

cioè (adv) that is, namely
Fagotto bundle, clumsy person
gioia - joy happiness
gomito elbow (bend (in road))
gnomo little person gnome
sordo deaf, unvoiced, quiet
sonora strong, sonorous, sounding
seme NM seed (suit in cards)
ascia pickax, axe
zaino - backpack

Suoni corretti:
LA PRONUNCIA

Le lettere dell'alfabeto italiano sono ufficialmente 21: da tempo però sono accettate e conosciute da tutti anche le "straniere" *j, k, y* e *w*. Anche ammettendo un totale di 25 lettere, in realtà i suoni a nostra disposizione sono molti di più. Ecco il motivo per cui spesso si creano differenze – veri e propri errori – di pronuncia. Peraltro, le individualità regionali, quando non addirittura cittadine, ci hanno messo lo zampino per rendere l'Italia il Paese del caos linguistico, una sorta di torre di Babele in miniatura.

Vediamo allora come rappresentare tutti i suoni in modo esaustivo:

✔ Vocali: *é* chiusa come in déntro; *è* aperta come in cioè; *o* chiusa come in dolore; *ò* aperta come in fagòtto.

✔ Consonanti: *c* come in ciliegia; *ch* come in chiesa; *g* come in gioia; *gh* come in gomito; *gl* come in famiglia; *gn* come in gnomo; *s* sonora come in rosa; *s* sorda come in seme; *sc* come in ascia; *z* sonora come in zaino; *z* sorda come in grazie.

➡ *j* e *y* hanno lo stesso suono della *i*;

➡ *k* e *q* hanno lo stesso suono del *ch*;

➡ *w* ha lo stesso suono della *u* oppure della *v*, a seconda che il termine sia di origine inglese o tedesca;

➡ *h* serve solo a "indurire" i suoni dolci di *c* e *g*.

Le vocali in modo particolare rappresentano l'inghippo principale. Esistono addirittura parole che cambiano significato a seconda della pronuncia. Anche se in molti non fanno differenza e il senso lo colgono dal contesto, vediamo come si dovrebbero pronunciare correttamente queste parole.

Con é (chiusa)	Con è (aperta)
accétta è l'attrezzo affilato	accètta è voce del verbo accettare
affétto è voce del verbo affettare	affètto è il sentimento positivo
colléga è voce del verbo collegare	collèga è il compagno di lavoro
corrésse è voce del verbo correre	corrèsse è voce del verbo correggere
détte è voce del verbo dire	dètte è voce del verbo dare
ésca è ciò che si appende all'amo	èsca è voce del verbo uscire
ésse è pronome femminile plurale	èsse è la lettera dell'alfabeto s
légge è una norma	lègge è voce del verbo leggere
ménte è l'intelletto	mènte è voce del verbo mentire

Con é (chiusa)	Con è (aperta)
ménto è la parte inferiore del viso	mènto è voce del verbo mentire
mésse sono le celebrazioni religiose	mèsse è il raccolto o la mietitura
péra è il frutto	pèra è voce del verbo perire
pésca è voce del verbo pescare e l'attività	pèsca è il frutto
péste è voce del verbo pestare	pèste è la malattia
téma è voce del verbo temere e sostantivo	tèma è una composizione, un argomento
vénti è un numero	vènti sono le correnti d'aria

Con ó (chiusa)	Con ò (aperta)
bótte è il contenitore	bòtte sono le percosse
cólto si dice di persona istruita	còlto è voce del verbo cogliere
córso è la via e voce del verbo correre	còrso è l'abitante della Corsica
fóro è un buco	fòro era la piazza dei Romani
fósse è voce del verbo essere	fòsse sono le buche

Con ó (chiusa)	Con ò (aperta)
póse è voce del verbo porre	pòse sono le posizioni (o le foto)
pósta è voce del verbo porre	pòsta è l'ufficio postale
rósa è voce del verbo rodere	ròsa è il fiore
scópo è voce del verbo scopare	scòpo è il fine
scórsi significa passati	scòrsi è voce del verbo scorgere
sórta è voce del verbo sorgere	sòrta significa specie
tócco è voce del verbo toccare	tòcco è sinonimo di pezzo
tórta è il dolce	tòrta è voce del verbo torcere
vólgo è il popolo	vòlgo è voce del verbo volgere
vólto è il viso	vòlto è voce del verbo volgere

Anche cadendo in sillabe diverse della stessa parola l'accento può cambiarne il senso. Per esempio:

- àmbito / ambìto: uno significa uno spazio fisico o ideale, il secondo significa desiderato;
- àncora / ancòra: l'uno avverbio, l'altro lo strumento per fermare le navi;
- àuguri / augùri: i primi sono divinatori del passato, i secondi sono le felicitazioni che si porgono;
- bisbìglio / bisbiglìo: il primo è un suono unico e definito, il secondo è un rumore costante. Tra i due termini c'è la stessa differenza che passa tra gorgòglio e gorgoglìo;
- còmpito / compìto: il primo è un lavoro da svolgere, il secondo significa gentile, garbato;
- cùpido / Cupìdo: il primo significa bramoso, il secondo è il dio latino dell'amore;
- nòcciolo / nocciòlo: il primo è il cuore duro di alcuni frutti e, in senso lato, il centro di una questione, di un discorso. Il secondo è l'albero che produce le nocciole;
- pàttino / pattìno: il primo consente di pattinare su ghiaccio o su rotelle. Il secondo indica l'imbarcazione;
- rètina / retìna: la prima è la membrana del globo oculare. La retìna, invece, è una piccola rete;
- termìte / tèrmite: il primo dei due termini indica una miscela di alluminio e ossido di ferro molto infiammabile. Il secondo è un insetto, simile a una grossa formica, che vive nei paesi tropicali;
- utensìle / utènsile: il primo è sostantivo, il secondo, invece, è aggettivo.

In ogni modo, oltre alle parole che hanno differenti significati, la pronuncia corretta in molti casi può far insorgere dei dubbi. Si è persa da tempo una conoscenza del latino tale da consentire di risalire all'etimologia per stabilire la corretta pronuncia. Senza contare che diverse parole derivano dal greco, il cui accento è frequentemente in contrasto con quello latino – come capita per esempio in diversi vocaboli medici: arteriosclèrosi (alla greca) o arterioscleròsi (alla latina), èdema (greco) o edèma (latino) e così via – oppure da altre lingue straniere.

Di seguito elenchiamo alcuni vocaboli la cui pronuncia viene frequentemente sbagliata.

- Abbaìno ➡ non abbàino (voce del verbo abbaiare);
- àbrogo ➡ si sente spesso dire io abrògo, ma in realtà la dizione esatta è io àbrogo;
- adùlo ➡ nonostante sia più diffuso àdulo, è questa la dizione corretta. È appunto uno di quei casi in cui il latino ci mette lo zampino: l'origine è infatti *adùlor*;
- aìre ➡ deriva dal verbo latino *ire*, con l'aggiunta della preposizione *a*;
- àlacre ➡ e non alàcre. Deriva dal latino *àlacer*;
- alcalìno ➡ il vocabolo è formato dalla parola àlcali con l'aggiunta del suffisso *-ino*. In questi casi, come in cittadino per esempio, l'accento è sulla *i*;
- àlluce ➡ nonostante le similitudini con Pollùce e luce, la pronuncia corretta è questa e non allùce;
- amàlgama ➡ non amalgàma;

- Andalusìa ➧ non Andalùsia;
- anòdino ➧ e non anodìno. Così è l'accento nel vocabolo greco e in quello latino;
- ànodo ➧ e non anòdo;
- anòfele ➧ e non anofèle;
- appendìce ➧ non si sa su quale base, ma per qualcuno esistono due vocaboli, appendìce e appèndice. Il primo indicherebbe l'aggiunta, il secondo la malattia. In realtà questa si chiama solo appendicite. Il vocabolo appèndice non esiste;
- armeggìo ➧ e non armèggio (mentre arméggio è voce del verbo armeggiare);
- arrògo ➧ anche in questo caso la versione più popolare è in realtà quella sbagliata: non si dice àrrogo;
- avarìa ➧ e non avària;
- àvoco ➧ e non avòco;
- baùle ➧ l'accento è sulla *u* e non sulla *a*, come alcuni sembrano credere;
- Benàco ➧ e non Bènaco;
- bocciòlo ➧ e non bòcciolo;
- bonomìa ➧ come in asfissìa, malattìa, eutanasìa;
- cadùco ➧ non càduco;
- callìfugo ➧ come pròfugo, centrìfugo, e non callifùgo;
- Caraìbi ➧ e non il più diffuso Caràibi (basti pensare all'aggettivo caraìbico);
- càtodo ➧ e non catòdo;
- centellìno ➧ non centèllino;
- Cervèteri ➧ non Cervetèri;

- circùito ➡ non circuìto (automobilistico);
- cognàc ➡ non cògnac;
- còncavo ➡ non concàvo;
- cònfuto ➡ non confùto;
- corrùgo ➡ non còrrugo;
- cosmopolìta ➡ non cosmopòlita. Deriva dal greco, *polìtes*, cittadino;
- crèmisi ➡ non cremìsi. L'origine è araba;
- cucùlo ➡ e non cùculo;
- dèrogo ➡ non derògo;
- devìo ➡ non dèvio;
- dìssipo ➡ e non dissìpo;
- dissuadére ➡ e non dissuàdere;
- edìle ➡ non èdile;
- elzevìro ➡ derivato dal cognome dell'inventore del carattere con cui questo articolo veniva scritto, l'olandese Elzevier, e pertanto con accento sulla *i*, non elzéviro;
- èsodo ➡ diverso da epòdo;
- esplèto ➡ non èspleto;
- Florìda ➡ non Flòrida;
- fortùito ➡ non fortuìto;
- Friùli ➡ non Frìuli. Il nome deriva dal dialetto Friùl, che deriva dal latino *Forum Iùlii*, il Foro di Giulio;
- gladìolo ➡ la "piccola spada" in latino è *gladìolus*, differente da altri composti in *-olo* come giaggiòlo;
- gratùito ➡ non errato ma poco frequente gratuìto;
- guaìna ➡ e non guàina. Deriva infatti dal latino *vagina* e come la medesima parola italiana è accentata. Allo stes-

so modo va accentato il verbo sguainare: io sguaìno, tu sguaìni e così via;

- guaìto ➡ non guàito;
- immòlo ➡ non ìmmolo;
- ìmplico ➡ non implìco;
- impudìco ➡ e non impùdico;
- incàvo ➡ è errato ìncavo;
- infìdo ➡ sbagliata la pronuncia ìnfido, anche se è la più comune;
- ippòdromo ➡ e non ippodròmo;
- Islàm ➡ in realtà si sente dire Ìslam, con la *i* iniziale accentata. In arabo però l'accento è sulla *a*;
- Istànbul ➡ non Ìstanbul;
- leccornìa ➡ e non leccòrnia, come si sente spesso;
- lìlla ➡ si sente spesso dire alla francese lillà, ma siccome esiste il vocabolo anche in italiano lo pronunciamo nel-

la nostra lingua, sia per il colore che per la pianta;

- mollìca ➨ parola di origine latina. È errata la pronuncia, tipicamente settentrionale, mòllica;
- monòlito ➨ non monolìto (deriva da *monos+lithos)*;
- motoscàfo ➨ diverso da piròscafo;
- Nobèl ➨ e non Nòbel, come tutti paiono pensare. Si tratta di un nome proprio;
- Nùoro ➨ deriva dal medievale Nùgoro, e come tale l'accento va sulla *u*;
- òrafo ➨ da *àurifex*;
- pànfilo ➨ è scorretta la dizione panfìlo;
- pèriplo ➨ non perìplo;
- persuadére ➨ non persuàdere;
- pìgnoro ➨ anche se è molto più diffusa la forma io pignòro, la dizione corretta è questa. Probabilmente l'errore è dovuto all'analogia con parole come pignòlo;
- protòtipo ➨ come dagherròtipo;
- pudìco ➨ non pùdico, proprio come mendìco;
- salùbre ➨ dal latino *salùbrem*, non sàlubre, prodotto forse per assonanza sulla falsariga di vocaboli come lùgubre, cèlebre;
- sàrtia ➨ non sartìa, poiché deriva dal greco *exàrtion*, attrezzatura della nave;
- rubrìca ➨ e non rùbrica;
- mi sbellìco ➨ e non mi sbèllico, visto che deriva da bellìco, ovvero l'ombelico;
- scandinàvo ➨ l'aggettivo deriva da Scandinàvia, e come tale l'accento sta sulla penultima vocale. Il più diffuso, e

ormai pressoché accettato, scandìnavo è quindi sbagliato;

- Slovàcchia ➡ non Solvacchìa;
- tafàno ➡ non tàfano;
- tralìce ➡ non tràlice, derivando dal latino *trilìx*, *trilìcis*;
- zaffìro ➡ la parola è piana: non si pronuncia zàffiro.

Esistono poi altri casi in cui la pronuncia corretta è ormai caduta in disuso, e quella originariamente sbagliata non è più sentita come tale, divenendo nettamente più usata:

- alchìmia ➡ sembra strano, ma nonostante alchimìa sia nettamente più diffuso, la versione corretta sarebbe questa. Si tratta infatti di un arabismo, probabilmente derivato dal greco *kheimeía*, che ha preso questa pronuncia per assonanza alla serie delle parole di origine greca in *-ìa* (filosofìa, liturgìa, parodìa ecc.);
- diàtriba ➡ è vero che è più diffuso diatrìba – probabilmente l'origine di tale accentazione va attribuita a un'influenza francese – ma la dizione corretta sarebbe questa, poiché l'etimologia è greca;
- evapóro ➡ anche se evàporo è molto più diffuso. La logica è la stessa di amàca, che è la dizione corretta, anche se àmaca è molto diffuso;
- istìgo ➡ anche se ìstigo non è più ritenuto sbagliato;
- lùbrico ➡ non lubrìco. La base è il vocabolo latino *lubrìcum*, scivoloso. La seconda accentazione è diventata popolare forse per assonanza con voci come pudìco, impudìco.
- valùto, svalùto ➡ deriva da valùta, pertanto ne rispetta la struttura, anche se ormai è accettata la dizione vàluto e svàluto.

Dal vocabolario al BESTIARIO

Sono vere e proprie forme scorrette quelle che vi proponiamo di seguito, spesso estremamente diffuse ma non per questo da continuare a usare.

A esclusione di: forma scorretta. Al suo posto si può dire semmai *escluso*, *eccetto*, *eccettuato*, *fuorché*.

A gratis: *gratis* è un avverbio che significa gratuitamente, derivato dal latino *gratiis*. Dunque non va mai preceduto dalla preposizione *a*, poiché equivarrebbe a scrivere "a gratuitamente".

A mano a mano: in realtà la prima *a* è di troppo. Si scrive infatti *mano a mano*.

A me mi: ripetizione del concetto. *A me* e *mi* significano la stessa cosa, dunque se ne usi solo uno.

Abboccàre: si tratta di un verbo transitivo, e come tale regge il complemento oggetto. Non si dovrebbe dunque dire "abboccare all'amo" ma "abboccare l'amo".

Abbrutirsi: attenzione alle doppie: solo le *b* sono due, non anche le *t* come molti dicono e scrivono, quindi non abbruttirsi. Si intende diventare come bruti, come bestie, non brutti.

Aborìgeno: deriva dal latino *ab origine* e indicava i primi abitanti del Lazio. Come sinonimo di nativo o autoctono si usa solo al singolare. Al plurale indica gli originari abitanti dell'Australia.

Accludere: significa chiudere dentro, dunque è sbagliato ripetere il concetto aggiungendo una locuzione temporale o di luogo. L'espressione da usare, insomma, non è *qui accluso* perché basta *accluso*.

Accompagnarsi: si usa frequentemente l'erronea forma "accompagnarsi a qualcuno", ma quella corretta è "accompagnarsi con qualcuno".

Al primo acchito: forma sbagliata. Quelle corrette sono *a primo acchito, di primo acchito e d'acchito*. L'espressione deriva da acchitare (termine in uso nel gioco delle bocce e in quello del biliardo) e significa cominciare il gioco posizionando il pallino o la propria boccia.

Adèmpiere: il verbo è transitivo, pertanto frasi del tipo "adempiere a qualcosa" sono sbagliate. È corretto, invece, dire "adempiere una promessa".

Adire vie legali: adire significa già *ricorrere a* (dal latino *ad-ire*, sostanzialmente *andare a*). Dunque è scorretto l'uso diffuso della perifrasi *adire a vie legali*.

Affatto: significa del tutto, per intero, in assoluto. Come assolutamente, non ha da solo valore negativo: dunque, in tale caso deve essere composto con *niente* (nient'affatto).

Al lato pratico: in realtà la versione corretta, storpiata dal parlato, è *all'atto pratico*, ovvero nel momento in cui si passa all'azione vera e propria dopo la teoria.

Alternativa (dilemma): indica in origine una scelta tra due (e solo due!) opzioni; ma oggi il termine viene usato anche se le scelte sono molteplici. Bene dunque anche "Ci sono molte alternative a questa situazione".

Ammesso e concesso: errore. La frase corretta è *ammesso e non concesso*, con l'intento di fare un'ipotesi per assurdo: ammettiamo per ipotesi che sia così, anche se la realtà non ci concede di crederlo.

Apprèsso: di uso dialettale, è spesso usato erroneamente con il significato di "dopo" o "in seguito".

Assolvere: non si "assolve al proprio dovere", semmai si "assolve *il* proprio dovere".

Bagnasciuga: è ormai sinonimo di battigia, anche se in origine il termine indicava la zona compresa tra la linea d'immersione massima e quella minima di una nave. Il termine compare usato impropriamente in un discorso di Mussolini; poi pian piano si sedimenta nella lingua.

Bancarella: la forma corretta sarebbe *bancherella*, anche se quella impropria ha preso decisamente il sopravvento.

Centra: centrare significa prendere la mira e raggiungere il bersaglio in pieno. Quando si intende invece che qualcosa è connesso con qualcos'altro si scrive *c'entra*, ovvero ci entra, entra nel discorso, è parte dell'argomento.

Defatigante: non significa faticoso, ma il suo contrario. Un esercizio defatigante è un movimento che aiuta a rilassarsi e sciogliere la muscolatura dopo una fatica.

Daccordo: parola inesistente. Si scrive invece *d'accordo*, ovvero di accordo, di comune accordo.

Derogare: verbo intransitivo. Dunque vuole la preposizione *a*: si può solo "derogare ai propri valori".

Derubare: pur avendo circa lo stesso significato di rubare, vuole una costruzione diversa perché intransitivo. Dunque si "deruba qualcuno di qualcosa" ma si "ruba qualcosa a qualcuno".

Eclìsse: si tratta di una storpiatura popolare. La forma corretta è eclissi.

Eco: al singolare è femminile, al plurale maschile.

Entusiasta: è uguale anche al maschile (dunque non si dice entusiasto).

Esiziale: significa *fatale*, non è sinonimo di *essenziale* come molti paiono pensare.

Espiare: significa *riparare, scontare una colpa con una pena*. Dunque è sbagliato dire "espiare una condanna", mentre corretto è "espiare un crimine", in tutti i sensi.

Essere nell'occhio del ciclone: l'occhio del ciclone è la parte centrale del vortice dell'uragano, dove il vento è moderato e non c'è pioggia. Dunque si tratta di una posizio-

ne relativamente tranquilla e non il punto focale del caos, significato con il quale viene spesso, a torto, usato. Essere nell'occhio del ciclone, cioè, significa essere tranquilli, in una posizione protetta mentre attorno c'è il caos, e non nei guai o al centro di uno scandalo.

Esterefatto: può sembrare più elegante, in realtà è semplicemente scorretto. La giusta forma è *esterrefatto* e deriva dal latino *exterrere*, ovvero spaventare, sbalordire.

Estremo: è già un superlativo. Quindi dire "è più estremo" è sbagliato. Molto.

Ex: da usare con parsimonia. Si diventa ex quando si conclude il mandato di una carica. Ma certe acquisizioni rimangono per sempre.

Finire per: sbagliato! Si finisce *con* il fare qualche sciocchezza, non per farla.

Flagrante: spesso confuso con fragrante. Il primo aggettivo è proprio del linguaggio giuridico per indicare il delitto commesso e scoperto nello stesso momento (colto in flagrante), mentre il secondo significa profumato. Le confusioni sono piuttosto comiche.

Forése: altra confusione piuttosto comica. L'aggettivo significa *di campagna*, anche se qualcuno lo confonde con "forense"...

Grosso distinto da *grande*. Il primo è infatti un aggettivo che si limita a definire le dimensioni fisiche; il secondo invece allarga il concetto e lo astrae. Secondo il vocabolario etimologico, *grosso*: che oltrepassa la misura ordinaria per massa, volume e simili. *Grande*: superiore alla misura ordinaria per dimensioni, durata, quantità, intensità, forza, difficoltà.

Immenso: significa enorme, smisurato. Essendo già superlativo, è errato dire "più immenso" o "meno immenso".

Inerente il/la: il verbo regge direttamente il complemento oggetto senza bisogno di proposizioni. Dunque non si dice "inerente a" poiché inerire significa già "aderire a" e dunque la a sarebbe ridondante.

Insieme: se indica la compagnia di una persona si usa *insieme con*, mentre se indica contemporaneità d'azione bisogna usare *insieme a*.

Ispirare: spesso usato indistintamente con inspirare. In realtà il primo termine significa "infondere nell'animo", mentre il secondo "introdurre aria nei polmoni".

Karakiri: la forma giapponese è *harakiri*, l'altra è un adattamento.

Lascivo: non significa affatto accondiscendente o arrendevole, come in diversi paiono pensare. La sua precisa accezione è *impudico, dissoluto, disonesto*. Se pertanto è bene essere, almeno occasionalmente, accondiscendenti con i propri figli, non lo è altrettanto essere lascivi...

Lusingarsi: è usato impropriamente nel significato di *sperare*. Nel gergo commerciale si trova spesso: "Ci lusinghiamo di ottenere..." invece del più corretto "Confidiamo, speriamo di...".

Ma però: non si dice, nè si scrive. O *ma* o *però*, visto che sono entrambe avversative.

Macchiavellico: nessuna macchia, la grafia esatta è *machiavellico*, da Niccolò Machiavelli.

Malgrado: abusato. Significa *a dispetto di*, *contro la volontà di*. Dunque non ha senso dire "malgrado il tempo", ma solo "mio malgrado", "malgrado Tizio" e così via.

Manicure: termine derivato dal francese che indica la persona che cura le mani, non l'azione. Anche se si dice frequentemente, è un errore "farsi il manicure", invece che "curarsi le mani". Lo stesso vale per "farsi il pedicure".

Mascherpone: usato ma sbagliato. Il nome giusto è *mascarpone*.

Meglio: non *più bene*, è il comparativo di *bene*.

Mestieri: è una voce dialettale lombarda, non italiana, se usata per indicare le faccende domestiche.

Ministero dell'Interno: questa la dizione corretta, al singolare, e non ministero degli Interni. Si parla dell'interno di uno Stato, dunque una sola entità. Diversamente si dirà "degli affari interni".

Negazioni: in italiano, a differenza di altre lingue, come l'inglese e il latino, le doppie negazioni non si elidono, ma si rafforzano. Dunque è corretto dire "non ho nessuna spesa" per affermare che non devo sborsare dei soldi. Però è

anche possibile la forma "non ho alcuna spesa", che può risultare più elegante in uno scritto.

Onoreficenza: pur avendo a che fare con l'onore, il termine corretto è *onorificenza.*

Panico: in realtà è un aggettivo (timor panico), anche se spesso viene usato impropriamente come sostantivo.

Piccola colazione: malamente tradotto dal francese *petit dejeuner*, che indica appunto il pasto della mattina, appena svegli.

Pleiade: viene usato erroneamente da qualcuno al posto di *pletora*, volendogli dare il significato di "moltitudine, miriade". In realtà il suo significato è esattamente il contrario, e va riferito a "pochi eletti individui".

Presupponenza: parola inesistente, probabilmente ottenuta dalla fusione di *presunzione* e *supponenza.*

Propinare: il termine, che in latino significava *brindare*, con il tempo è stato utilizzato solo in riferimento a bevande nocive o sgradevoli: non può dunque essere usato con i cibi solidi ("mi ha propinato una bistecca"). In senso figurato ha assunto il significato di rifilare qualcosa di sgradevole; in questo caso ovviamente si può propinare anche qualcosa che non sia una bevanda ("mi ha propinato un ferro vecchio").

Propio: errore grave. Si dice e scrive *proprio.*

Qualsiasi: si tratta di un aggettivo indefinito, composto anche da un verbo e, pertanto, non può reggerne altri. Non è esatto dire: "Devi andare, qualsiasi sia la tua opinione", corretta è invece la forma "qualunque sia la tua opinione".

Quisquiglia: errore. Il termine corretto è *quisquilia*, per intendere cosa di poco valore, bazzecola.

Reticente: non significa riluttante né renitente. *Reticente* indica infatti chi tace per nascondere quello che dovrebbe dire; *riluttante* significa essere restii a fare qualcosa; *renitente* è chi oppone una vera e propria resistenza, che si rifiuta di fare qualcosa. Dunque il primo vocabolo attiene alla sfera del parlato, i secondi due a quella del fare. Sempre *riluttante* non va confuso con *ributtante*, che definisce invece una persona, cosa o situazione talmente brutta da suscitare un rifiuto nauseato.

Rifiutare: significa "non accettare una cosa offerta". È improprio usare il verbo nel senso di "non voler dare o fare una cosa domandata": in questo caso si dovrà usare il verbo *negare*. Dunque, per esempio, si rifiuta il denaro che ci viene offerto; si nega il denaro che ci viene chiesto in prestito.

Rindondante: altro termine inesistente, erroneamente usato al posto di *ridondante*.

Roboante: ormai ammesso dai vocabolari, anche se il termine corretto, anche se meno onomatopeico, è *reboante*.

Salciccia: forse darà più gusto chiamarla così, ma il termine corretto è *salsiccia*.

Secondo i casi: "Secondo noi, secondo l'oratore" ecc. Ma non: "Secondo i casi". In tale espressione si dice: "A seconda dei casi, a seconda delle circostanze".

Sotto: con sopra e lungo non vogliono preposizione. "Sotto il ponte", "sopra il tetto", "lungo il fiume" ecc.

Ulteriore: si tratta di un aggettivo di grado comparativo di derivazione latina il cui significato è *che è più in là, più oltre*. Quindi è improprio usarlo nel senso di "altro, nuovo, secondo".

Unici esempi: un esempio è qualcosa che si prende tra tanti uguali o simili a esso per rappresentarli. Dunque un esempio non può essere *unico* (qualitativo), tutt'al più *solo* (quantitativo).

Vicino: come davanti e dietro, vuole la preposizione *a*. "Abito vicino a Roma" non "vicino Roma"; "stai davanti a me" ecc.

Alcune FRASI FATTE

Usiamo con parsimonia le frasi fatte e gli stereotipi. Il rischio, oltre a quello di sembrare noiosi se non un po' fasulli, è quello di risultare banali. Per esempio, quando si porgono "sincere condoglianze" verrebbe da chiedersi se si vuole sottintendere che qualcuno possa porgerne di false, oppure quando si esprime "viva soddisfazione" per qualcosa la domanda è se esiste una soddisfazione morta stecchita.

Ecco di seguito alcune tra le più diffuse frasi fatte:

Agghiacciante sciagura
Brillante operazione
Cauto ottimismo
Coltello acuminato
Corpo contundente
Delicato intervento
Dolore incontenibile
Futili motivi
Irrefrenabile risata
Netto rifiuto
Ordigno rudimentale

Pesante bilancio
Pronto intervento
Raccapricciante spettacolo
Ricchi premi
Ridente località
Rigoroso riserbo
Risata irrefrenabile
Rocambolesca evasione
Sforzo sovrumano
Strepitoso successo
Toccante testimonianza
Torbida vicenda
Tragica fatalità

Vari e diffusi
MODI DI DIRE

Questo tipo di locuzioni sono frasi alla moda, che in un dato periodo hanno una grande diffusione e altrettanto rapidamente tramontano. Chi le usa nel momento in cui sono in voga suona un po' fasullo, pare incapace di esprimersi con termini suoi propri; chi prosegue nell'utilizzarli quando non sono più di moda finisce per apparire una persona che giovane non è più ma si ostina a sembrarlo. Niente di più patetico e sgradevole. Meglio evitare dunque tali modi di dire, per non fare di sé un esempio di giovanilismo attempato o peggio sembrare (essere) senza pensieri originali.

A livello di ➡ modo piuttosto gergale, dalla costruzione complessa e tendenzialmente scorretta. Quindi da evitare il più possibile.

Affermativo ➡ rispondere in questo modo al posto del solito *sì* a qualcuno può sembrare una trovata originale. Non lo è.

Alla grande ➡ esclamazione davvero vecchia, che può essere più opportunamente sostituita con aggettivi qualificativi di vario genere.

Assolutamente ➡ termine che è di moda usare al posto del più semplice *sì*. Probabilmente derivato dall'americano *absolutely*, in italiano non ha lo stesso senso e dunque va specificato se "assolutamente sì" o "assolutamente no".

Cioè ➡ c'è stata una intera generazione del cioè, che intercalava costantemente con questo termine per riempire i vuoti di pensiero. *Cioè* è esplicativo, e come tale va usato saltuariamente, alternato eventualmente ad altrettanto efficaci "intendo dire", "mi spiego meglio" e così via.

Cannonata ➡ abusatissimo e stantio termine, impiegato in senso figurato per indicare "persona o cosa di eccezionale qualità".

Che flash ➡ forma invecchiata. Una locuzione molto anni Ottanta, brutta già allora, ora peggiorata dalle rughe.

Che storia ➡ modo popolare di stupirsi. Suona come il prodotto di chi non riesce ad articolarecommenti sensati.

Come dire... ➡ intercalare che ha ormai soppiantato *cioè*, assumendo anche la stessa ammissione di incapacità di chi parla a trovare le parole giuste per esprimersi.

È una roba... ➡ "roba" è un termine decisamente generico, molto familiare e gergale, dunque meglio evitarlo.

Estremamente ➡ gli estremismi, di questi tempi, non sono proprio auspicabili. Basta con questo avverbio infilato un po' ovunque.

Fratello ➡ appellativo della popolazione afroamericana, è diventato di moda in Italia anche tra chi di fraterno non ha proprio nulla. Lasciamo le parentele al loro posto e smettiamola di scimmiottare tutto ciò che arriva da oltreoceano.

Mitico ➧ Giove o il mostro di Lochness sicuramente, il resto no.

Moderno e sofisticato ➧ se non si capisce nulla di tecnologia, meglio evitare di dare l'impressione di intendersene con aggettivi generici e fumosi.

Nella misura in cui ➧ tipico termine amato dai politici, pesante e inutile complicazione di un discorso.

Niente ➧ questa parola ha un significato ben preciso, e non va usata come un intercalare.

Non ce n'è ➧ una locuzione che sa tanto di vecchio. Era di moda circa un decennio fa, è rimasta in gola ad alcuni quarantenni che allora erano rampanti e oggi non si sa. E poi fa cattivo senza esserlo, meglio evitarla.

Non esiste ➧ cosa? Questa espressione, usata con toni decisi per indicare un dissenso molto sentito, è in realtà senza fondamento strutturale rispetto a un discorso sottinteso.

Non ho parole ➧ peccato. L'ineffabile è un tema largamente affrontato dai poeti di ogni secolo, ma nel quotidiano se si deve dire qualcosa lo si faccia, altrimenti si taccia direttamente.

Occhei ➧ italianizzazione di *okay*, espressione americana, non italiana, per dare una risposta affermativa. Meglio allora *d'accordo*, *sì* o *va bene*.

Piuttosto che ➧ nonostante sia diffuso, in realtà l'uso di questa locuzione in alternativa a *o* è scorretto.

Quant'altro ➧ termine diventato molto di moda negli ultimi anni, utile a concludere un concetto generalmente non troppo chiaro nemmeno a chi lo pronuncia. Non abusarne.

Sfizio ➧ toglietevi capricci e voglie, gli sfizi sanno di lifting verbale.

Sul tappeto ➧ fantomatico oggetto d'arredo dei migliori salotti della politica di ogni tempo su cui inevitabilmente giacciono numerosi problemi da dibattere.

Tranqui ➧ da tranquillo, esortazione giovanilistica a non preoccuparsi. Da non usare.

Tra virgolette ➧ le virgolette vanno usate con parsimonia negli scritti, figuriamoci nel parlato. Servono a sottolineare il prestito semantico, l'uso improprio di un termine. Se abusate rischiano di far sembrare chi parla una persona che non conosce abbastanza vocaboli. Terribile quando poi la parola è accompagnata dal movimento delle due dita, gestualità americana che non ci appartiene e ci rende ridicoli nel momento in cui cerchiamo di farla nostra.

Un attimino ➧ le attese sono fastidiose, e l'irritazione non diminuisce se si tenta di ingannare l'interlocutore facendole sembrare brevi con l'impiego di diminutivi. Cerchiamo di non far aspettare; nel caso chiediamo un concreto ma sincero "attimo".

Wow ➧ espressione anglosassone che indica stupore e meraviglia, va lasciata tutt'al più ai ragazzi, per non sembrare dei malinconici imitatori di noi stessi al tempo che fu.

Ma come parli?
LE PAROLE NUOVE

Anche se forse non ci piacciono, o generalmente non ne facciamo uso, almeno cerchiamo di capire il significato di alcune parole che facilmente ci può capitare di sentire.

AFAIK: acronimo che sta per *as far as I know* (per quanto io ne sappia), è un termine usato nelle chat.

Allocco: persona che non capisce nemmeno un concetto semplice.

Andare a randello: andare ad alta velocità.

Aplodare: deriva dall'inglese *to upload* e significa caricare un file su server.

ASAP: acronimo per *as soon as possible* (il più presto possibile).

Attapirato: chi ha subito uno smacco, un insuccesso. Derivato da chi ha ricevuto il Tapiro d'Oro, premio assegnato dalla trasmissione satirica "Striscia la notizia" a chi si è distinto per un comportamento spiacevole o stupido.

Attizzare: attrarre con passione.

Autoassolutorio: di chi si autoassolve.

Babbione: vecchio e anche un po' rintronato.

Baccagliare: corteggiare.

Baipassare: dall'inglese *to bypass*, significa aggirare un ostacolo o saltare un passaggio.

Bannare: dall'inglese *to ban*, significa bandire, generalmente riferito a persone che in chat vengono espulse dalla conversazione per aver tenuto atteggiamenti offensivi o aggressivi.

Banner: termine inglese che indica gli spazi sui siti internet dedicati alla pubblicità.

Bazzicare: frequentare una zona o un posto.

Bipartisan: posizione comune di maggioranza e opposizione su una determinata questione politica.

Black bloc: contestatore violento della globalizzazione, che indossa di solito abiti neri, si copre il volto, agisce in gruppo.

Blog: sorta di diario online. Si tratta di un sito web nel quale vengono pubblicati pensieri e opinioni personali di chi lo tiene e di chi lo legge per commento.

Bobos: dal francese *bourgeois+bohémien*, persone di cultura, economicamente agiate, che prediligono l'alimentazione biologica, l'abbigliamento naturale, mete e periodi di vacanze alternativi. Sorta di evoluzione del radical chic.

Bollito: esaurito.

Bootleg: registrazione pirata, solitamente di concerti o scarti di studio.

Braccino: avaro. "Avere il braccio corto", che non arriva alle tasche per prendere i soldi.

BTW: acronimo per *by the way* (a proposito). Espressione usata prevalentemente nelle chat.

Calarsi: inghiottire droghe chimiche.

Canna/cannone: sigaretta di marijuana o hashish. Derivato da *cannabis*, la canapa indiana.

Cannare: sbagliare, soprattutto in ambito scolastico. Al passivo significa essere bocciati.

Cartolarizzazione: in economia, cessione di crediti a società o istituti specializzati e loro successiva conversione in obbligazioni.

Cazzeggiare: oziare.

Cazziare: rimproverare duramente.

Ceccare: dall'inglese *to check* (controllare) significa verificare qualcosa al computer.

Centino: chi supera l'esame di stato con la votazione di cento centesimi.

Ciospo: persona brutta a vedersi.

Co.co.co.: collaboratore coordinato e continuativo.

Co.co.pro.: collaboratore coordinato a progetto.

Coming out: in inglese *uscire*, è la dichiarazione pubblica della propria tendenza sessuale (cfr. *outing*).

Cover: di derivazione inglese, si dice di una nuova versione di una canzone già suonata da altri.

Craccare: dall'inglese *to crack* (rompere) significa spezzare i codici di protezione di un sistema per inserirsi illecitamente e rubarne i contenuti.

C.U.L.8.R: acronimo per *See you later* (dalla pronuncia della C come *see*, U come *you*, L8R - LeightAR come *later*) ovvero a più tardi. Usato soprattutto nelle chat.

Cyber-: connesso con la telematica (es. cyberpunk, cyberterrorismo ecc.).

Da paura: mozzafiato, sia in senso positivo che negativo.

Dare buca: non presentarsi a un appuntamento.

Default: automaticamente.

Demo: versione prova o limitata nel tempo, creata solo a scopo dimostrativo.

Devolution/Devoluzione: decentramento dei poteri.

Di brutto: molto, tanto.

Digitale: contrario di analogico. Si dice digitale ogni informazione (testo, immagine ecc.) che si comunica usando esclusivamente numeri e che può essere pertanto trattata dai moderni mezzi tecnologici.

Dinosauro: persona che appartiene all'epoca in cui le tecnologie non erano avanzate, nel "giurassico".

Di striscio: niente affatto, neanche un po'.

Dopare: dall'inglese *doping*, significa usare sostanze stupefacenti illegali per migliorare il rendimento. In senso lato, mistificare, truccare.

Downloadare: dall'inglese *to download*, scaricare da internet materiale vario.

DVD: acronimo di *Digital Versatile Disk*, simile a un CD ma con maggior memoria e diverse funzioni.

Emoticon: dall'inglese *emotion+icon* è la faccina ottenuta con la composizione dei segni di interpunzione che nello scritto permette di manifestare stati d'animo.

Erba: marijuana.

Essere alla frutta, alle cozze: essere ridotto male, esausto.

Essere fuori (come un balcone, un'antenna): essere matto, fuori di testa.

Eurolandia: insieme dei Paesi che hanno aderito alla moneta unica europea.

Extension: aggiunta di ciocche artificiali o naturali ai capelli per renderli più lunghi.

Fancazzista: perditempo, che non ha voglia di far nulla.

Fanzine: derivato dall'inglese *fan+magazine* è l'organo di comunicazione di un fan club.

FAQ: acronimo per *Frequently Asked Questions*, le domande formulate più di frequente, è la lista di domande e relative risposte a proposito di un servizio offerto. Il loro scopo è quello di chiarire i dubbi più frequenti.

Fare flop: fallire, fare fiasco.

Fiction: sceneggiato televisivo.

Fidelizzare: derivato dall'inglese, significa trasformare una persona da cliente occasionale a cliente abituale.

Flippato: esaurito o pazzo.

Format: indica la struttura di un programma televisivo, reiterabile e vendibile anche all'estero.

Fulminato: persona fuori di testa.

Fumato: stordito per aver fumato marijuana. Fumarsi significa invece consumare (esempio: Ti sei già fumato la paga settimanale?).

Furbata: azione da furbo.

Fusion: tendenza gastronomica che ama la fusione di tradizioni culinarie di provenienze diverse.

Fuso: stanco, esaurito, come un motore che ha fuso.

Gabbare: rubare, imbrogliare.

Gabola: errore o sotterfugio.

Garage band: gruppo musicale che ha iniziato provando nei garage.

Gasato: sia chi è molto contento sia chi è esaltato, supponente.

Generalista: detto di rete televisiva che intende soddisfare le esigenze di un pubblico indifferenziato e trasmette pertanto programmi di vario genere e qualità.

Genialata: trovata geniale.

Giottino: simpatizzante o appartenente al movimento di contestazione del G8; relativo a tale movimento.

Girotondino: chi manifesta pubblico dissenso partecipando a manifestazioni di piazza. Si riferisce al movimento dei girotondi, espressione di sostegno alla legalità, all'amministrazione della giustizia e alla pluralità dell'informazione sviluppatosi sotto il governo Berlusconi.

Glitterato: derivato dall'inglese *glitter* (lustrino), è chi veste in modo eccentrico e vistoso.

Glocal: derivato dall'inglese *global+local* è detto così chi cerca di conciliare globalizzazione e localismi (cultura, tradizioni e stili di vita locali).

Gossip: parola inglese che significa pettegolezzo.

Graffitare: scrivere o dipingere sui muri o altre superfici pubbliche o private con bombolette spray colorate.

Grezza: figuraccia.

Ground Zero: nome attribuito alla grande spianata rimasta vuota dall'11 settembre 2001 a New York, dove prima sorgevano le Torri gemelle. In senso figurato, lo zero, il nulla.

Hacker: chi si introduce illegalmente in reti e computer.

Helpline: dall'inglese, è un centro dove telefonare per avere informazioni e consulenze.

Imboscarsi: appartarsi oppure nascondersi.

Imbroccare: indovinare, azzeccare, ma anche rimorchiare.

Inchiodarsi: smettere improvvisamente di funzionare, detto di mezzi meccanici (auto, computer ecc.).

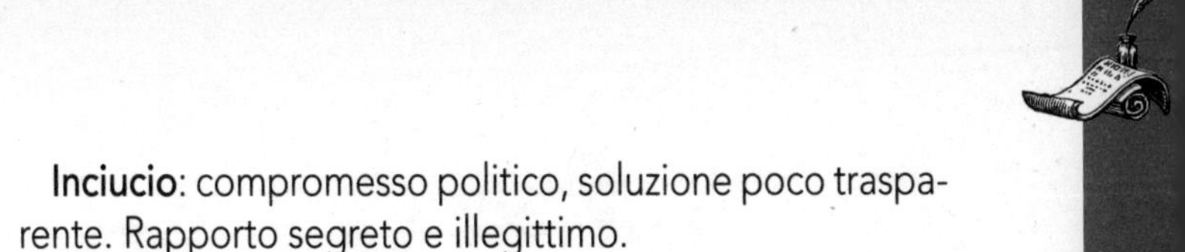

Inciucio: compromesso politico, soluzione poco trasparente. Rapporto segreto e illegittimo.

Interattivo: detto di sistema, allestimento o struttura che consenta la partecipazione attiva dello spettatore.

Interfaccia: oltre al significato tradizionale tecnologico, il senso lato è "l'unico collegamento".

Intortare: confondere allo scopo di manipolare subdolamente.

Intrippare: coinvolgere anima e corpo in qualcosa.

Joint: termine inglese per spinello.

Junk-mail: termine inglese che significa *posta spazzatura*. È la pubblicità inviata indistintamente a molti.

Last minute: tipo di viaggio a basso costo perché proposto all'"ultimo minuto" (è questa la traduzione).

Leggenda metropolitana: diceria.

Lumare: adocchiare qualcuno con secondi fini.

Machismo: atteggiamento che enfatizza la virilità, la forza e l'aggressività tradizionalmente proprie della figura maschile. I connotati di tale termine sono generalmente negativi.

Magra: figuraccia.

Manetta: forte velocità.

Mappazza: sia la pietanza che, in senso lato, la sensazione di pesantezza derivata dall'ingestione di cibo sgradevole o indigesto.

Maretta: turbolenza, crisi tra persone.

Marpione: chi ci prova con tutte.

Masterizzare: scrivere dati su un CD-ROM.

Medley: selezione di più brani composti tra loro.

Messaggiare: spedire e-mail ma soprattutto sms, i messaggini del cellulare.

Mobbing: è un forma di violenza psicologica messa in atto da un superiore o da più colleghi di lavoro nei confronti di un dipendente, vittima di continui attacchi e ingiustizie, che causano estremo disagio psicologico quando non addirittura un crollo. Il fine è quello di indurlo ad andarsene dall'azienda.

Monitorare: derivato dall'inglese *to monitor*, controllare (inizialmente attraverso il video).

Multimedia: integrazione su uno stesso supporto di informazioni di diversa natura: testi, suoni, immagini fisse o animate.

Navigare: utilizzare un programma per visualizzare siti internet.

Netiquette: derivato dall'inglese *net+etiquette* sta per "etichetta della rete", norme di comportamento da seguire quando si comunica in internet.

No-global: chi è contrario alla globalizzazione, alla perdita di identità e allo sfruttamento economico che può comportare.

Non mi passa più: essere incastrati in una situazione spiacevole, al punto che il tempo pare non passare mai.

Nonos: di derivazione francese, sono persone che rifiutano il consumismo, il lusso, l'esibizionismo e scelgono uno stile di vita essenziale.

No-profit: senza fini di lucro.

Oblomoviano: indolente, apatico, che si affida al fato. Da Oblomov, personaggio letterario con tali caratteristiche.

Ospitata: partecipazione a una trasmissione televisiva per promuovere la propria immagine o un proprio lavoro.

Outing: azione di rivelare pubblicamente gli orientamenti sessuali di personaggi famosi.

Outsorcing: acquisto da un fornitore esterno di servizi e funzioni propri di un'azienda.

Paglia: sigaretta.

Palestrato: chi ha un corpo modellato da assidui esercizi in palestra.

Panettone: paracarro di cemento la cui forma tondeggiante ricorda quella del tradizionale dolce natalizio.

Papa-boy: giovane che partecipa ai raduni cattolici indetti dal Papa.

Pashmina: vocabolo di derivazione persiana, indica un tipo di filato di lana pregiato; per sineddoche, sciarpa o scialle confezionato con tale filato.

Performante: dall'inglese *to perform* si dice di qualcosa che offre una buona prestazione.

Piacione: termine romanesco per indicare una persona accattivante che sa di piacere e ci gioca ammiccando.

Piercing: pratica di ornare il corpo con oggetti decorativi che trapassano la pelle o la carne.

Politicamente corretto: rispettoso, soprattutto in ambito sociale.

Posse: tribù culturale, gruppo.

Preserale: detto generalmente di programmazione televisiva compresa nella fascia oraria che precede il telegiornale della sera.

Push-up: derivato dall'inglese (*spingere in alto*) reggiseno che consente di far apparire più consistente il volume del seno.

Q

Querelle: francese per discussione, contesa.

Quotare: dall'inglese *to quote* (citare), rispondere a un messaggio ricevuto per posta elettronica, inserendo i propri commenti all'interno di un altro messaggio.

Random: parola inglese che significa *in modo casuale*.

Rave-party: raduni dove un numero consistente di persone si ritrovano per ballare musica assordante per molte ore, assumendo droghe per sostenere la fatica.

Resettare: dall'inglese *to reset* significa riportare allo stato iniziale, azzerare.

Resident dj: il disk jockey fisso del locale o della serata, diverso da dj invitati da altre discoteche o dall'estero.

Ribaltone: rovesciamento improvviso e radicale delle alleanze, specie nell'ambito della politica.

Rimbalzare: rifiutare, allontanare, rispedire al mittente.

Roadmap: itinerario, progetto, programma di lavoro; con particolare riferimento al piano per ristabilire la pace in Medio Oriente; per estensione, tentativo di soluzione di crisi internazionali.

ROFL: acronimo per l'inglese *Rolling On Floor Laughing* (rotolando per terra dalle risate), indica apprezzamento per una battuta.

Rollare: preparare una canna.

Rottamare: cambiare uso di qualcosa (o qualcuno) approfittando di particolari benefici o di una condizione favorevole.

Rugare: dare fastidio. Di solito usato al riflessivo (mi ruga).

Sbarba: persona molto giovane, imberbe (ma si usa anche al femminile).

Sbobinare: trascrivere il parlato in scritto.

Sboccare: dare di stomaco.

Sbroccare: uscire di testa.

Scafista: chi trasporta immigrati clandestinamente, via mare, in Italia.

Scambista: chi pratica lo scambio del partner.

Scannatoio: piccola abitazione dove fare i propri comodi con partner occasionali.

Sciroccato: tipo strambo.

Sclerare: impazzire.

Sclerato: esaurito.

Sequel: seguito di un film di successo.

Sfangare: levarsi di torno.

Sgamare: cogliere con le mani nel sacco.

Showbiz: diminutivo inglese di *show-business*, ovvero il mondo dello spettacolo.

Singletudine: derivato dall'inglese *single* (solo), è la condizione di chi vive da non accoppiato.

Smanettare: armeggiare, maneggiare, specialmente riferito a dispositivi informatici.

Spamming: termine inglese che sta per l'invio di posta spazzatura.

Spettinare: sgridare violentemente.

Starci dentro: trovarsi in una condizione piacevole; di contro, "non ci sto dentro" significa "non ce la faccio più".

Tamarro: gergo giovanile per indicare persona grezza, provinciale.

Tampinare: corteggiare insistentemente.

Taroccato: falso, non originale.

Telelavoro: lavoro svolto a casa o comunque lontano dalla principale sede aziendale, a essa collegato per via telematica.

Telematico: ciò che è composto dall'informatica e dalle linee di comunicazione remote.

Tirarsela: sentirsi superiori.

Toppare: sbagliare.

Tracciabilità: l'identificazione documentata dell'intera produzione di un oggetto o un alimento, cioè la lista delle aziende che hanno partecipato alla produzione.

Tranvata: grande botta.

Trash: termine inglese che significa *spazzatura*, ora usato a definire qualunque genere culturale come scadente, di basso profilo.

Trend-setter (o trend setter o trendsetter): di derivazione inglese, è chi lancia nuove mode o tendenze.

Trendy: alla moda.

Truzzo: ragazzo che segue mode sorpassate, zotico, che predilige il gruppo, generalmente provinciale.

Ultimo miglio: di evidente derivazione anglosassone, si usa nelle telecomunicazioni. È il tratto terminale della linea che collega il domicilio dell'utente alla centralina più vicina, lasciato a disposizione degli operatori telefonici in regime di libera concorrenza.

Ultras: dal latino *ultra*, indica le frange più estremiste degli appassionati di sport.

Unabomber: attentatore solitario che agisce ripetutamente collocando bombe in luoghi, o addirittura in oggetti, sempre diversi e di uso comune.

Underground: termine inglese che significa *sotterraneo*, indica generalmente tendenze e fermenti culturali interessanti ma poco noti, non commerciali e pertanto apprezzati soprattutto da pochi adepti.

Unplugged: dall'inglese *non collegato* indica le esibizioni e le registrazioni di artisti che suonano con strumenti acustici.

Urfido: cosa o persona abietta, laida.

Vapora: sigaretta.

Vasca: passeggiata lungo il corso principale.

Veejay: deejay televisivo.

Velina: valletta televisiva tendenzialmente bella, silenziosa e poco vestita.

Vintage: tendenza della moda per cui si riutilizzano vestiti e accessori di qualche decennio precedente.

X-generation: la generazione dei trentenni degli anni Novanta.

Y2K: acronimo dell'inglese *Year 2000*.

Zaffa: puzza.

Zarro: persona trasandata, volgare nei modi e nell'abbigliamento.

QUINTA PARTE

AUTORI PER PROFESSIONE

Dal parlato
ALLO SCRITTO

Scrivere non è parlare. Per rendersi conto di una tale evidenza, basta pensare alle trascrizioni di discorsi o conversazioni. Il parlato ha caratteristiche molto differenti, dovute a una maggiore ricchezza di strumenti che "collaborano" alla comunicazione: l'espressività del corpo e della voce, l'immediatezza del ritorno sulla comprensione dei concetti, il fatto che le parole dette non "rimangono" come invece quelle su carta.

I due strumenti hanno ovviamente alcune tecniche comuni – l'uso della retorica, la necessità di semplicità e chiarezza, le basilari norme di grammatica e logica – ma la comunicazione scritta esige percorsi specifici. Le due principali conseguenze o, se vogliamo, i due elementi strutturali che caratterizzano il modo con cui si affronta uno scritto sono l'organizzazione del pensiero e la correggibilità. Questi, a loro volta, portano ad alcune principali proprietà:

✔ la maggiore concentrazione dei contenuti. Nel parlato talvolta si tende a ripetere, a disperdere le frasi;

✔ la continuità tematica. Nel parlato può capitare di passare da un argomento a un altro, mentre lo scritto è organizzato e i concetti sono affrontati in modo consequenziale;

✔ la coerenza di sviluppo. Per lo stesso motivo, in uno scritto esiste un dato di partenza, uno sviluppo centrale in vista di una conclusione; nel parlato la conclusione, per esempio, non è sempre indispensabile.

In particolare se ci si trova ad affrontare uno scritto per lavoro, come una relazione, una tesi di laurea o un saggio, è necessario saper organizzare i concetti che si vogliono esporre, saper utilizzare gli strumenti informatici necessari, e non da ultimo conoscere alcuni dettagli tecnici inevitabilmente impiegati da chi scrive, come il redigere un indice, l'inserire note e citazioni, costruire una bibliografia. Vediamo allora alcuni suggerimenti per svolgere un lavoro scritto.

La raccolta delle idee per uno scritto "tecnico"

Se quello che stiamo scrivendo è un testo "tecnico" – intendendo con questa definizione tutto ciò che viene scritto non per comunicare familiarmente ma per esporre uno studio, un lavoro, una ricerca o altro – è importante tenere in considerazione un determinato ordine e alcuni principi. Bisogna:

❶ saper selezionare dati e idee;

❷ saperli raggruppare in ordine d'importanza;

❸ saperli disporre anche in una sequenza utile alla spiegazione del concetto stesso;

❹ saper definire una scaletta dettagliata.

La "famigerata" scaletta che a scuola tutti i professori consigliano di fare prima del tema, è effettivamente un si-

stema mentale indispensabile per organizzare uno scritto. I più fortunati hanno una dote naturale e riescono quasi istintivamente a farlo, ma i più necessitano prima di una elaborazione complessa.

La selezione dei dati e delle idee è piuttosto semplice: basta tracciare una lista, anche in ordine casuale, in modo da avere però di fronte tutti gli argomenti a disposizione. La loro definizione in ordine d'importanza è un'operazione più delicata, in cui si comincia a stabilire il tipo di connessione che esiste tra di loro, così da definire l'inizio, lo sviluppo e le conclusioni.

Il computer e la rivoluzione della scrittura

La rivoluzione informatica ha provocato dei profondi mutamenti nell'organizzazione del pensiero stesso del singolo durante la fase di scrittura. Forse in pochi ricordano, ormai, cosa significasse comporre un testo con la macchina per scrivere – ancora di meno con la penna. Il computer, con i suoi word processor o programmi di scrittura, ha facilitato non poco le complesse operazioni di stesura di uno scritto.

Ora, per esempio, grazie alla "magica" funzione di copia-incolla, è possibile scrivere più liberamente, senza la preoccupazione di dover

ribattere l'intera pagina. Un particolare non da poco: tutto il pensiero ne risulta influenzato. È possibile infatti avvicinarsi a un argomento in modo più frammentario, meno strutturato. Se poi questo sia un bene o un male, non sta a noi giudicarlo.

Sicuramente, sul piatto della bilancia, i "pro" sono numerosi: tanto per cominciare, il guadagno di tempo è inestimabile. Secondo alcuni studiosi inoltre l'uso del computer favorisce la produzione, rendendo meno drammatico il confronto con la pagina bianca e allo stesso tempo favorisce l'elaborazione più complessa, poiché la dinamicità del lavoro suggerisce l'idea che lo scritto finale sia frutto di vari tentativi e di continue revisioni. Peraltro, queste operazioni di revisione e correzione sono agevolate, rispetto a un manoscritto pasticciato, con note a margine e correzioni ripetute.

Tutti i moderni programmi di scrittura possiedono funzioni come il *thesaurus* e la correzione automatica, altri addirittura la possibilità di strutturare il testo secondo uno schema predefinito.

Secondo altre opinioni, infine, la facilità tecnica garantita dall'uso del computer favorisce una maggior attenzione agli aspetti teorici e concettuali dello scritto. Come dire che, siccome si risparmiano energie nell'atto di scrivere e riscrivere, quelle risorse si possono convogliare in un maggiore sforzo cerebrale.

Il computer pare aver consentito lo sviluppo di tre principali metodologie di lavoro, per quanto riguarda l'elaborazione di uno scritto:

✔ *a macchia di leopardo*, ovvero buttando giù concetti a caso e poi riorganizzandoli spostando interi paragrafi;

✔ *in linea*, per cui si procede secondo una scaletta ma si lascia anche spazio alle intuizioni che nascono lungo il percorso, e che vengono appuntate in fondo al documento per essere poi svolte una volta arrivati al punto in cui si devono inserire;

✔ *dall'alto in basso*, ovvero secondo una struttura abbastanza rigida e consequenziale.

Esistono però anche dei limiti connessi all'uso del computer per la stesura dei testi. Innanzitutto la difficoltà di avere una visione omogenea e completa del testo, soprattutto se lungo: spesso è necessario stampare l'elaborato e rileggerlo su carta per farsi un'idea più chiara e complessiva. La frammentazione e la poca fluidità sono un facile pericolo, soprattutto per chi non ha grande dimestichezza con la scrittura. Proprio per questo, la fase di revisione è diventata tanto importante, paradossalmente forse ancora di più di quanto accade per un testo scritto manualmente.

Lettere importanti: LE MAIUSCOLE

Ecco un caso in cui l'economia non è mai abbastanza. Le maiuscole sono abusate negli scritti, rendendoli pesanti e formali. Quando si scrive, si dovrebbero limitare le maiuscole: gli unici due casi in cui si devono usare, secondo la grammatica italiana, sono i nomi propri e dopo il punto.

Quindi niente maiuscole per ingigantire un titolo onorifico o di studio – a parte alcune eccezioni che vedremo più avanti. Dunque dottor Tale e ingegner Talaltro, signor Tizio.

Qualche difficoltà può sorgere nel definire quale nome è da considerarsi proprio e quale comune. Ovviamente non danno problemi i nomi di battesimo, come Mario, Giacomo e Veronica, ma quei vocaboli comuni che in determinate situazioni possono avere forza di nome proprio e pertanto vanno scritti in maiuscolo. Per esempio, se la chiesa di un paese va minuscola, la Chiesa come organizzazione deve essere scritta maiuscola. E ancora, se la costituzione di un bambino è minuscola, la Costituzione italiana no.

Allo stesso modo i nomi propri, come Sole, Terra e Luna, se usati fuori dal linguaggio scientifico perdono il loro valore di identità precisa e diventano un concetto più am-

pio e generico: vanno allora scritti usando la minuscola. Anche con i nomi di monumenti e luoghi bisogna riflettere: se infatti piazza e via vanno scritte minuscole, il Foro Italico va scritto maiuscolo, perché indica un posto preciso; così come Porta Romana. Anche Palazzo Reale non è un qualunque palazzo, così come Ponte Vecchio non è semplicemente un'antica costruzione; l'accademia di belle arti diventa Accademia della Crusca. Per i nomi geografici in genere si usa il minuscolo quando il nome comune non fa parte del nome proprio (il lago Trasimeno può essere detto anche solo Trasimeno); si usa invece il maiuscolo quando il nome comune è parte integrante del nome proprio (il Lago Maggiore, il Monte Bianco).

Per i titoli di opere letterarie e d'arte in generale, dev'essere scritta maiuscola la prima lettera del titolo, anche se si tratta dell'articolo: *La divina commedia*, *I promessi sposi*; se durante il discorso cade l'articolo, verrà scritta maiuscola la prima lettera della parola, ovvero un canto della *Divina commedia*, un passo dai *Promessi sposi* e così via.

Infine, altro caso dubbio riguarda le cariche prestigiose. Evitiamo le maiuscole ai vari ragionieri e dottori, ministri e altezze reali: l'unica eccezione è per il presidente della Repubblica, che quando è solo Presidente ha la maiuscola, e per il Papa. Che comunque diventeranno il presidente Einaudi e il papa Celestino V.

I nomi di popoli antichi possono essere scritti con la maiuscola: quindi bene i Celti e gli Egizi. Ma scriviamo: i francesi, gli italiani.

Consigli per un saggio O UNA TESI

Chiunque abbia provato a scrivere un testo di una certa consistenza si sarà reso conto che spesso i propositi iniziali finiscono per non sfociare esattamente nella stessa direzione che si era prevista. Questo perché la preziosa attività di scrittura serve anche a chiarire, ad articolare il pensiero. Dall'intuizione alla sua espressione verbale, fino alla scrittura, i passaggi sono molteplici. Spesso lo scritto risulta essere una vera e propria dimostrazione di una teoria, e bisognerebbe essere intellettualmente onesti nel saper accettare il risultato, anche se difforme dall'enunciato teorico che aveva spinto l'analisi inizialmente. Ecco perché generalmente l'introduzione a una tesi, a un saggio o a un manuale è scritta per ultima.

Il fatto però che spesso lo scritto amplii le possibilità del pensiero non giustifica la disorganizzazione, anzi.

La prima attività è quella della raccolta dei dati. Una volta in possesso del materiale necessario, è possibile procedere all'organizzazione del lavoro.

Divisione in capitoli

La strutturazione del testo in capitoli deve tenere conto innanzitutto della coerenza. Si possono scegliere diversi principi su cui basare il raggruppamento degli argomenti, ma una volta definito quello da seguire, deve essere valido per tutti.

Per esempio si possono dividere i capitoli secondo un principio di importanza: bisogna stabilire una gerarchia di argomenti e definire i principali, quelli insomma correlati tra loro per vincoli coordinazione e non per subordinazione. All'interno del capitolo, gli argomenti subordinati saranno divisi a loro volta in paragrafi.

Oppure, se l'esposizione ha uno svolgimento nel tempo, i capitoli possono rappresentare una progressione temporale graduale, per esempio per anni (o secoli o decenni o eventi ecc.).

Oppure ancora, se si tratta di uno scritto che preveda un'ipotesi e la sua dimostrazione, si può decidere di stabilire i capitoli sulla base del metodo di indagine utilizzato.

In ogni caso, è necessario stabilire dei "livelli" gerarchici univoci. Cioè i capitoli devono essere scelti sulla base del medesimo principio, e i paragrafi all'interno devono

essere allo stesso modo della medesima importanza concettuale, così come eventuali sottoparagrafi. E così via. Per assicurarsi una divisione coerente è utile stabilire un numero massimo di livelli.

Un modo possibile per rendere chiara anche graficamente la divisione in capitoli e in sottoparti è usare:

- ✔ i numeri romani per definire i capitoli;
- ✔ i numeri arabi per i paragrafi;
- ✔ le lettere per i sottoparagrafi.

Per esempio il secondo sottoparagrafo del primo paragrafo del quinto capitolo si scriverà: cap. V, 1, b.

Si può decidere invece di usare solo i numeri, dividendoli con un punto. Per esempio, il primo sottoparagrafo del secondo paragrafo del secondo capitolo sarà: 2.2.1.

L'introduzione

Come dicevamo, tendenzialmente conviene lasciare la redazione dell'introduzione a un lavoro per ultima. In essa si scrive in sintesi non solo l'argomento del libro, ma anche i metodi con cui si è proceduto nell'analisi. Insomma, l'introduzione è un po' un compendio del lavoro svolto, in cui si può accennare ai principi che hanno mosso una determinata ricerca, i metodi, e così via. In un certo senso, per l'introduzione potrebbero valere le celebri cinque domande utilizzate dai giornalisti nella redazione di un articolo: chi, come, quando, dove, perché.

Può capitare che il testo risulti particolarmente complesso, e per maneggiarlo correttamente si rendano necessa-

rie alcune spiegazioni tecniche, come per esempio differenti modalità di consultazione, o, per un testo didattico, le numerose possibilità di lettura, di esercizio e in generale di utilizzo.

In questo caso è probabilmente utile separare l'introduzione dalla prefazione, parte più strettamente dedicata alle riflessioni dell'autore sugli scopi del testo. La *prefazione* può anche essere stilata da un autore diverso da quello del trattato; allo stesso modo ci possono essere anche due prefazioni, una autoriale, l'altra di un "ospite".

Indice generale e analitico

L'indice generale, o anche semplicemente indice, è piuttosto importante in un testo. La sua funzione non è solo quella, più immediata, di consentire una rapida ricerca di uno specifico argomento all'interno del libro, ma anche di consentire una prima occhiata generale, un'idea di massima dei contenuti, della loro organizzazione.

L'indice può essere collocato all'inizio o alla fine del testo; in caso sia previsto anche un indice analitico, è consigliabile mettere il primo all'inizio e l'analitico alla fine del trattato.

✔ L'indice analitico è un elenco alfabetico di parole o frasi che identificano un singolo argomento di cui si è parlato all'interno del testo, con i riferimenti alle pagine in cui se ne parla. È uno strumento molto importante, soprattutto nei testi tecnici e scientifici. L'indice analitico può essere limitato ai nomi propri o ai nomi comuni (argomenti), o

contenerli entrambi. In generale, più indici divisi per argomento consentono una maggiore rapidità di ricerca.

Gli indici possono essere:

- di nomi propri;
- di luoghi;
- di autori;
- di titoli di opere;
- di argomenti.

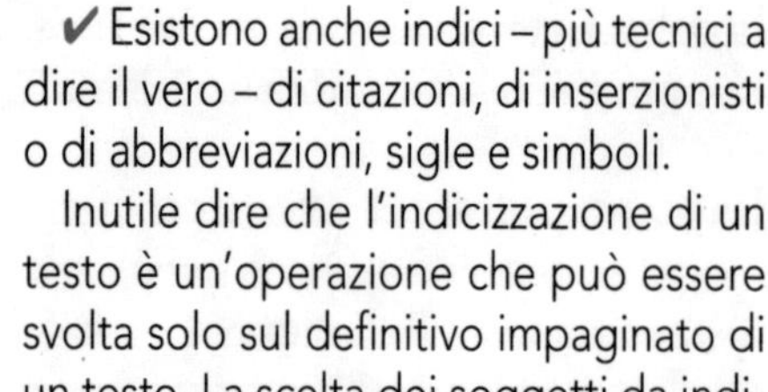

✔ Esistono anche indici – più tecnici a dire il vero – di citazioni, di inserzionisti o di abbreviazioni, sigle e simboli.

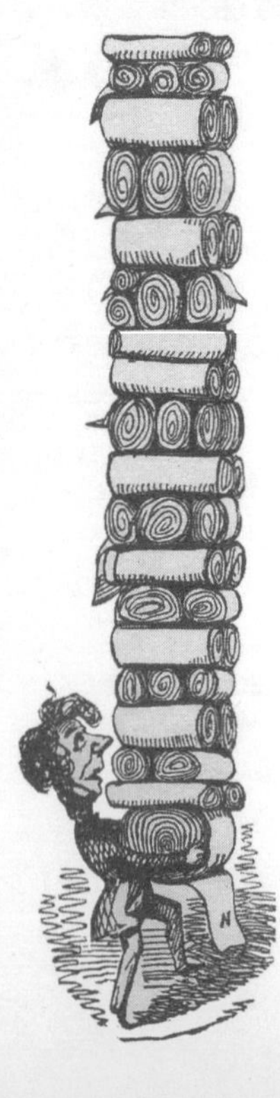

Inutile dire che l'indicizzazione di un testo è un'operazione che può essere svolta solo sul definitivo impaginato di un testo. La scelta dei soggetti da indicizzare, nel caso si tratti di un indice ragionato per argomenti, è piuttosto delicata. Gli argomenti devono essere abbastanza importanti ma allo stesso tempo devono scendere nel dettaglio più di quanto non faccia l'indice generale, altrimenti basterebbe quello.

In linea generale, si potrebbe pensare di inserire tutti i termini che potrebbe voler cercare una persona interessata al trattato. Un'indicazione di massima, è vero, ma verosimilmente l'unica che si possa dare in questo caso.

Illustrazioni

Un'illustrazione spesso vale una pagina di testo. L'immediatezza di un'immagine, la facilità con cui comunica i concetti, la rende uno strumento utilissimo per un testo scritto. Senza contare che alleggerisce la lettura, concilia la concentrazione e sostiene il concetto. Certo la scelta dell'immagine giusta è importante. Si possono usare disegni, fotografie, grafici (anche se spesso questi rientrano piuttosto sotto il nome di tabelle) per aiutare il lettore nella comprensione più immediata di un testo.

Spesso ogni immagine stampata è accompagnata da una dicitura scritta, la *didascalia*, che non solo serve a identificarla, ma spesso ne descrive sinteticamente il contenuto. Talora le immagini sono numerate, ma la numerazione non è indispensabile qualora non si abbia la necessità di rimandare a essa dal testo.

Note

Le note al testo hanno molteplici funzioni e ne esistono di diversi tipi ma principalmente le potremmo dividere in:

✔ note di riferimento;

✔ note di contenuto.

Le prime hanno appunto la funzione di citare la fonte da cui proviene l'argomento trattato, il dato fornito o la tesi sostenuta.

Le note di contenuto riportano anche annotazioni dell'autore, commenti, chiarimenti specifici che non hanno trovato spazio all'interno del trattato ma che secondo l'au-

tore vale comunque la pena di proporre. Sono note che spesso sviluppano una sorta di ricerca parallela, suggerendo percorsi alternativi o ampliamenti a disposizione del lettore.

Un genere particolare di nota di contenuto è quella che si vede spesso sui testi antichi la cui comprensione è resa difficoltosa da forme linguistiche non più usate: per esempio le note alla *Divina Commedia* di Dante, altrimenti di ardua intelligibilità. Un esempio di note tecniche può invece essere rappresentato da quelle inserite dal traduttore per illustrare giochi di parole difficili o impossibili da rendere in un diverso idioma.

Le note possono essere segnate in fondo alla pagina con numerazione progressiva, data automaticamente se si usa un programma di scrittura con il computer, oppure raccolte in un apposito elenco in fondo a ogni capitolo o al libro. Il primo caso è evidentemente il più comodo per la consultazione del lettore: quindi è auspicabile che vengano stampate in questo modo le note di contenuto. Il secondo caso è piuttosto preferibile per le note che contengano so-

prattutto riferimenti bibliografici e comunque non indispensabili alla immediata comprensione dello scritto.

Generalmente il numero della nota è messo fuori dalle parentesi, dalle virgolette e dopo la punteggiatura.

La prima volta che si indica in nota un testo, si danno le informazioni complete, seguendo sostanzialmente i criteri validi per la bibliografia (vedi):

➡ autore, titolo, eventuali curatori, editore (non obbligatorio), luogo di edizione, anno, numero delle pagine (se si tratta di citazione e/o di un articolo o di un saggio all'interno di una raccolta).

Dopo la prima volta che si è citato un testo, nelle note che seguono si possono adottare delle forme abbreviate:

➡ autore, parte del titolo seguito da tre punti, numero delle pagine (esempio: A. Bertini, *La storia...*, pp. 1-2);

➡ autore, anno di pubblicazione del libro citato, indicazione delle pagine. Se ci sono più testi dello stesso autore e dello stesso anno si aggiunge a quest'ultimo un numero consecutivo, da riportare anche in bibliografia (esempio: 2005^1; 2005^2; 2005^3)

Citazioni

Per citazione s'intende la trascrittura di parte di un testo altrui riportato nello stesso identico modo nel nostro scritto. Generalmente è possibile citare qualunque testo a patto di indicare chiaramente, in nota o a fine citazione, la fonte di derivazione.

La citazione interrompe la lettura: quindi è consigliabile inserirla solo in caso non si possa riportare semplicemente il contenuto del passaggio, ma sia necessario utilizzare le esatte parole dell'autore originale.

✔ Se la citazione è breve e non c'è la necessità di evidenziarla particolarmente, va scritta in tondo tra virgolette basse (« »).

✔ Se la citazione breve avviene all'interno di un discorso già tra virgolette, si usano quelle alte (" "). E di conseguenza le eventuali virgolette alte che compaiono nella citazione sono sostituite con virgolette singole (' ').

✔ Se invece il brano da riportare è lungo, o da evidenziare, generalmente si inserisce in un paragrafo eventualmente fuori corpo, ovvero con un carattere o un rientro differente dal resto del testo, o staccato di una riga in alto e in basso rispetto al testo.

✔ Se in una citazione si deve omettere parte del testo, bisogna inserire tre puntini di sospensione contenuti in parentesi quadre [...].

✔ Se si deve citare una poesia, la fine di un verso viene segnalato con una barra (/), la fine di una strofa con doppia barra (//).

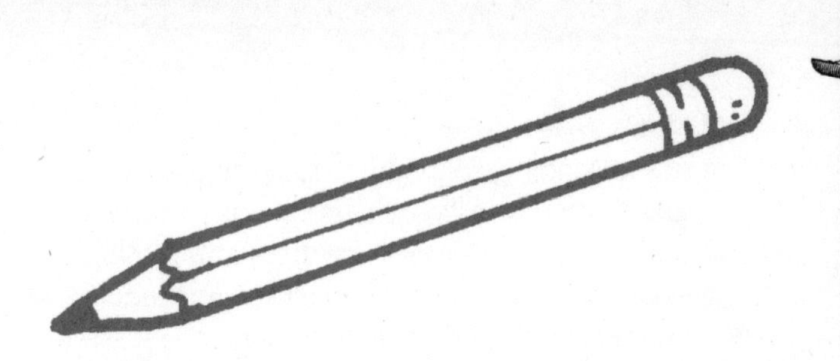

✓ Se si citano opere straniere, le possibilità sono:

❶ citare in lingua originale e scrivere la traduzione in nota riportandola tra virgolette basse;

❷ citare la traduzione italiana più accreditata, se già pubblicata e preferibilmente, per completezza e dove possibile, il testo originale in nota;

In ogni caso in nota va riportato l'esatto riferimento bibliografico.

Quando invece nel testo vanno aggiunte indicazioni da parte del curatore o del traduttore, queste sono evidenziate dalle formule: [N.d.C.], [N.d.T.].

Bibliografia

La bibliografia è la lista dei libri e delle fonti sulle quali l'autore si è documentato per elaborare il suo trattato. Posta generalmente in fondo al testo, la bibliografia consente a chi la consulta di trovare spunti di approfondimento e comunque di reperire nel dettaglio una determinata opera. Gli apparati bibliografici devono essere completi e ordinati; non contengono infatti riferimenti generici a un testo, ma tutti i dati per consentire una identificazione univoca.

❶ Monografie

➡ Autore/i (nome, cognome o viceversa: per esteso, oppure per il nome solo l'iniziale seguita da un punto);

➡ titolo (in corsivo, come l'eventuale sottotitolo);

➡ eventuale curatore/i e/o traduttore/i (preceduto o seguito dalla formula: *a cura di*, *traduzione di*, messi senza o tra parentesi);

➡ numero dei volumi se sono più di uno;

➡ luogo di pubblicazione;

➡ editore (non obbligatorio);

➡ nome della collana (non obbligatorio);

➡ anno di pubblicazione.

❷ Volumi miscellanei

➡ Curatore/i (nome, cognome o viceversa: per esteso, oppure per il nome solo l'iniziale seguita da un punto. Preceduto o seguito dalla formula: *a cura di*, senza o tra parentesi);

➡ titolo (in corsivo, come l'eventuale sottotitolo);

➡ luogo di pubblicazione;

➡ editore (non obbligatorio);

➡ nome della collana (non obbligatorio);

➡ anno di pubblicazione.

❸ Articoli

➡ Autore/i (nome, cognome o viceversa: per esteso oppure per il nome solo l'iniziale seguita da un punto;

➡ titolo dell'articolo (in corsivo);

➡ nome della rivista (in tondo tra virgolette alte o a sergente non preceduto dalla preposizione *in*);

➡ serie, anno e/o volume (se ci sono);
➡ numero del fascicolo;
➡ anno;
➡ numero delle pagine.

❹ Una formula analoga a quella relativa agli articoli si usa nel caso di saggi contenuti in volumi miscellanei o in atti di convegno.

Dopo il titolo in corsivo si scrive *in* seguito direttamente dal titolo del volume o dal nome del/dei curatori, luogo e anno di edizione, quindi a seguire il numero delle pagine.

❺ Atti di convegni

➡ Titolo;
➡ formula: Atti del convegno, e tra parentesi città dove si è tenuto, date del convegno;
➡ eventuale curatore/i;
➡ luogo di pubblicazione;
➡ editore (non obbligatorio);
➡ anno di pubblicazione.

❻ Siti web

Si raccomanda di verificare l'esattezza, controllando in occasione dell'ultima revisione o correzione di bozze che i siti siano ancora attivi o non sia cambiato l'indirizzo. Attenzione va fatta ai caratteri usati, specie relativamente alle lineette basse, corte ecc., e preferibilmente vanno scritti in modo completo (inclusa l'URL) e possibilmente per esteso, senza andare a capo, in modo tale da non creare fraintendimenti circa la lineetta di separazione (-).

Esempi pratici

S. Carollo, *Che stile! Il galateo per tutte le occasioni*, Firenze 2004

Detienne, Marcel (a cura di), *Les savoirs de l'écriture en Grèce ancienne*, Lille 1988

❸

N. Turner, *Oxford. Carracci drawings* ", The Burlington Magazine", CXXXIX, 1997, pp. 209-211.

❹

P.L. Cavani, *Statue e cammei della Galleria Estense* in *Sovrane passioni. Studi sul collezionismo estense* a cura di J. Bentini, Milano 1998, pp. 237-240

❺

A proposito del trattato di Tolentino, Atti del convegno (Tolentino 18-21 settembre 1997), Roma 2000

❻

R.K. Harrison, *Bibliography of planned languages* <http://www.vor.nu/langlab/bibliog.html>, 1992, agg. 1997

Presentazioni e RELAZIONI

A differenza di quando si deve redigere una tesi o un saggio, scrivere una presentazione o una relazione significa dover affrontare sì un argomento "tecnico", ma avendo a disposizione uno spazio limitato di pagine. Risulta quindi fondamentale avere il dono della sintesi, altrimenti si rischia di non assolvere alla funzione primaria che tali scritti hanno: ragguagliare il lettore in merito a un dato argomento in modo rapido. È fondamentale dare un'idea globale a chi legge del caso in questione.

Esistono diversi generi di relazioni:

✔ la *relazione* vera e propria è la descrizione di un evento cui si è preso parte (o che si è organizzato);

✔ il *rapporto* è invece uno scritto che riguarda lo stato delle cose all'esterno, la situazione di un dato ambiente, e generalmente precede l'azione, è finalizzata alla conoscenza dell'ambito in cui si intende operare;

✔ la *rassegna* è una relazione a blocchi in cui generalmente vengono citate diverse fonti.

Per ognuno di questi tipi di relazione ovviamente è importante saper organizzare il testo in modo chiaro, completo e sintetico.

Organizzazione delle parti

Una relazione presume un avvenimento, lo svolgersi attraverso il tempo di un'azione. La presentazione può riguardare la dimensione temporale, anche se anticipa ciò che sta per succedere, se riguarda un progetto o un programma; altrimenti può presentare un evento già avvenuto e fermo nel tempo. In ogni caso, è necessario saper delineare una buona introduzione.

❶ L'introduzione è sostanzialmente una selezione di dati, concetti e relazioni che possano spiegare in quale ambito ci si trova.

❷ Poi si passa all'analisi degli obiettivi;

❸ quindi alla verifica degli strumenti,

❹ poi al metodo con cui si è proceduto.

❺ Si conclude con la descrizione dei risultati e un eventuale bilancio.

Non molto diverso il modo di procedere nel caso si debba argomentare partendo dall'antefatto di un problema, passando poi a fornire gli elementi di prova a favore o contro, argomentando e quindi concludendo con un epilogo consuntivo.

Anche se si tratta della presentazione di un progetto, è bene riassumere sommariamente la situazione di partenza, individuare il nodo centrale da svolgere, descrivere i propri strumenti e metodi e infine parlare di come si immagina di procedere fino al raggiungimento dell'obiettivo.

Cuore della relazione è in ogni caso l'argomentazione, cioè la trattazione principale, lo svolgimento dell'azione. Per tradizione, la logica riconosce tre tipi di ragionamento: la deduzione, l'induzione e l'abduzione.

La deduzione parte da affermazioni che contengono la conclusione, l'induzione è più o meno il contrario della deduzione: si parte da considerazioni particolari (prove) per arrivare a conclusioni più generali. L'abduzione è una specie di deduzione probabile.

Rimandi

Come dicevamo, fluidità e rapidità di consultazione sono fondamentali per un testo breve che debba ragguagliare altri su un determinato argomento. A tale scopo sono molto utili i rimandi interni. Si tratta di segnalazioni di collegamenti tra le diverse parti del testo senza dover ripetere le parti stesse ma con la sicurezza che chi legge possa eventualmente recuperarle se non ricorda qualche cosa. E questo senza nulla togliere allo scorrere del testo. I principali tipi di rimando sono:

- ✔ vedi;
- ✔ vedi anche;
- ✔ confronta.

Il primo indica un riferimento univoco, il secondo un suggerimento di percorso, il terzo può essere usato anche per una difformità o un'incongruenza durante il processo di analisi.

Tabelle

Le tabelle sono uno strumento molto utile per rendere con immediatezza dati e analisi contenute nella relazione. Se ben organizzata, una tabella consente di risparmiare pagine di lettura, comunicando in modo intuitivo i contenuti. Generalmente sono costituite da un'inserzione di righe e colonne che consente di incrociare dati di due differenti fonti o valori. Devono essere semplici e facilmente leggibili.

Possono essere a sostegno del testo o sostituirsi ad esso: nel primo caso hanno la valenza di illustrazioni e accompagnano l'argomento, nel secondo riportano dati che all'interno del testo non trovano posto.

In alternativa, possono riportare valori numerici completi di cui nel testo viene citata solo una parte. In ogni caso vanno numerate in modo da rendere immediato il riferimento. La tabella deve inoltre riportare la fonte dei dati e l'anno in cui sono stati registrati.

Come redigere una
RELAZIONE A SLIDE

Sono la moda del momento. Grazie alla tecnologia, i vecchi lucidi scritti con il pennarello grosso e proiettati da lavagne luminose durante noiose riunioni, hanno lasciato il posto a coloratissime slide preparate al computer (la cui visione si consuma comunque durante noiose riunioni). Gli strumenti che ora offrono i moderni elaboratori sono inimmaginabili per potenza e possibilità: c'è davvero da sbizzarrirsi. È possibile inserire fotografie, musica, scegliere il tempo e il modo con cui passare da un'immagine all'altra, decorare le slide con fumetti, grafici, diagrammi, torte ecc., il tutto nello splendore del colore.

Eppure anche con il computer dovrebbe valere lo stesso discorso del lucido casalingo: si tratta di uno strumento di informazione visiva che aiuta a seguire il discorso che si sta tenendo. Una sorta di appunti condivisi, per fissare meglio nella mente lo schema con cui si sta procedendo.

✔ Dunque innanzitutto la semplicità. Un appunto è tanto più efficace quanto è visivamente sobrio, spoglio di sovrastrutture. Meglio optare per una lista a punti che per un paragrafo descrittivo; e comunque ogni pagina proiettata non dovrebbe contenere più di poche righe ciascuna.

✔ Per le tabelle e i grafici vale lo stesso discorso fatto per il loro inserimento in relazioni o presentazioni, se possibile ancora più radicale: la semplicità in questo caso diventa fondamentale.

✔ Bisogna tenere presente che le slide vengono fruite da un pubblico che contemporaneamente sta ascoltando il relatore e che dunque non deve essere distratto da una lettura troppo impegnativa. Inoltre i tempi di lettura dei singoli, soprattutto ne caso di tabelle e grafici, sono molto variabili e il rischio che si corre è quello di perdere troppi ascoltatori per la strada, chi perché non fa in tempo a leggere, chi perché legge troppo velocemente e magari si distrae nel tempo in cui il relatore temporeggia su una singola slide.

✔ Vanno evitati, sempre per lo stesso motivo, troppi titoli e sottotitoli che, pur con l'ammirevole intenzione di riassumere lo schema completo dell'argomentazione, rischiano di rallentare e confondere la lettura.

✔ Anche i colori sono importanti: gli sfondi dai colori cupi risultano poco leggibili, anche se le scritte vengono schiarite. Certi colori poi, accoppiati, rischiano di dare un effetto "vibrato" fastidioso. Meglio optare per sfondi chiari e scritte scure, dai caratteri sufficientemente grandi e non troppo originali.

✔ Infine, è bene ricordare che le slide andrebbero redatte in caratteri minuscoli: le maiuscole richiedono più fatica a essere lette, appesantiscono il processo di comprensione di un testo.

L'immagine ha una funzione fondamentale, che non è quella di catturare l'attenzione, ma di sostenere un concetto. Dunque sì alle immagini solo se funzionali al discorso, e non come complemento grafico in realtà sviante.

Uso della tecnologia

Se sinteticità è la parola d'ordine per quel che riguarda i contenuti delle slide, sobrietà è quella che dovrebbe caratterizzare l'utilizzo del computer. È vero che, come dicevamo, la tecnologia oggi consente praticamente a chiunque di stupire con effetti speciali, ma è altrettanto chiaro che reboanti non significa esattamente funzionali. Non annoiare l'uditorio è certamente importante, ma non è pensabile nemmeno costellare di sorprese la propria presentazione per catturare l'attenzione, perché il rischio maggiore e reale è quello di distrarre dai contenuti in favore di un oooh! di ammirazione per gli effetti speciali.

Piuttosto, è importante assicurarsi una sufficiente competenza nel gestire la proiezione durante la presentazione, sapersi coordinare con i tempi, senza far aspettare troppo prima di cliccare per proseguire, in modo da garantire una certa fluidità nell'esposizione e nell'accompagnamento delle slide.

BIBLIOGRAFIA

Come parlare e scrivere meglio, a cura di A. Gabrielli, Selezione dal Reader's Digest, 1984

M. della Casa, *Scrivere testi*, La Nuova Italia, 1994.

V. della Valle, G. Patota, L*e parole giuste*, Sperling & Kupfer Editori, 2004.

C. Di Girolamo, L. Toschi, *La forma del testo*, Il Mulino, 1988.

S. Lepri, *Professione giornalista*, Etaslibri, 1991

R. Lesina, *Il nuovo manuale di stile*, Zanichelli, 1994.

B. Mortara Garavelli, *Manuale di retorica*, Studi Bompiani, 1989

M. Cortelazzo, P. Zolli, *L'etimologico minore*, Zanichelli, 2004

A. Gabrielli, *Il museo degli errori*, Mondadori, 1977

D. Corno, *Lingua scritta*, Paravia, 1987

G. Devoto, *Lezioni di sintassi prestrutturale*, La Nuova Italia, 1974

F. La Porta, *Non c'è problema*, Feltrinelli, 1997

http://www.mauriziopistone.it/linguaitaliana.html

http://www.giuseppecirigliano.it/

http://www.zacinto.it

http://www.lastradaweb.it

http://www.accademiadellacrusca.it

http://www.manuscritto.it

M.T. Serafini, *Come si scrive*, strumenti Bompiani, 1992.

Grazie al Sole-24-Ore, il cui file su "come si scrive" preparato per i collaboratori è stato decisamente prezioso.

Note

Note